著　者

米寿は通過点

イラスト・黒田武弘

桂書房

米寿は通過点　目次

イラスト・黒田武弘

部屋中がお盆に

日曜日に嫁が家の中を整理した。

今までは、元気だった姑の私が家の中の采配を振っていたので、遠慮をして手出しをしなかった。ところが姑も八十歳を過ぎたことでもあるし、姑の元気なうちに、手つかずのところの整理をしておこうという気持ちになったのであろう。

踏み台が必要な台所の戸棚の上段、和室押し入れの天袋、応接間のピアノとサイドボードの間の隙間など、私が普段滅多に触らないところだ。

「お母さん、こんなにたくさんお盆が出てきました」と箱のふたをずらして並べた。

「日の丸盆、探してもなかったのに出てきたけ」

お盆は輪島塗り、山中塗りのもの、東大寺の日の丸盆、秋田の曲げわっぱを側面に使用した塗り盆、飛騨の春慶塗、地元の高岡塗り、箱に入ったまましまい込んでいたのがぞろぞろと出てきた。

無地のものもあれば、秋草を描いたもの、螺鈿細工を施したものなど、何とまあ部屋中がお盆だらけになった。昔は法要やめでたいことの記念品といえば、塗り物の菓子器やお盆などであった。こんなにいっぱいどうしよう。学校のバザーに出すのはもったいない。

「この模様は印刷、こっちの秋草は手描きだ」と夫が言った。

新聞広告に「どんなものでも高価買取り」「古いもの、贈答品をお売りください」とあるがどうせ二束三文だろう。

お正月に使うもの、普段使いにするものをよけたけれど、それでも余る。娘にも一、二枚やった。会社の事務所で使っているものを、新しいのと交換した。

夫に深めの器を見せて「これにお正月、お煮染めを盛ったら駄目？」と訊いた。「そういう汁気のあるものはまずいね」「かぶら寿司はどうかね」「……」

“菊の紋章に、羽ばたく鶴”これは叙勲を受けた人の記念品。大勢の人に配るのだから、失礼ながら大抵はプラスチック製品に合成うるしかな。おまけに裏に名前が入っている。

いただいたものはすぐ使っていくことにしなければ、箱に入れたまましまい込んだら、それでおしまいだ。

自分も二、三枚、我が家のマンションに持ち帰り、食堂の戸棚に入れようとしたら、お盆が三枚ばかり出てきた。「あーあ」

記念品を出すのならば、消耗品の方が家の中が物だらけにならなくていいのではないか。

（平成二十八年九月）

富士山の麓で

台風10号が、本州に上陸するという前日、箱根行きのツアーに夫と参加した。

一日目は富士山河口湖音楽祭に行った。野外音楽堂は可動式の屋根はあるが、座席はコンクリートなので入口で発泡スチロールの小さな座布団をくれた。開演前の広場では、購入もできる地元ワインのバーがあり、思い思いにグラスを持って立ち飲みをしている人たちが大勢いた。

私はクラシックの管弦楽を期待していたが、音楽堂ではジャズっぽい吹奏楽だった。夫が「弦が一つもないね」と言った。でも心地よいリズミカルな曲に酔いしれた。終わりごろ来場者全員が立ち上がり、ペレス・プラードの「マンボNo.5」の「ハァ～ウッ！」を力強く響かせた。

そんなに大きくはない自治体の富士河口湖町では、夏の間プロのピアノ演奏や、県内外からの中学、大学のブラス演奏会などがあちこちで催されていると聞いた。

その日は芦ノ湖畔の静寂な自然の中に建つ「山のホテル」に宿泊した。残念ながら雲行き怪しく、富士山の眺望は楽しめなかった。夕食の和懐石は、高級なものを一口ずつ出され食べやすく、松茸を浮かべた鱧蓮根饅頭の御吸物は殊においしかった。

二日目の芦ノ湖遊覧船は雨だった。

船を降り、箱根ラリック美術館に入った。かつて、パリとイスタンブールを結んだ豪華列車、オリエント急行の車両が展示してあった。現代の新幹線のような広さはないが、古い歴史を感じた。貴婦人になったつもりで車内のテーブルで紅茶を飲み、至福のひとときを過ごした。夫も満足そうな表情である。夫の後ろの壁面には、ルネ・ラリックが装飾したガラス工芸が嵌め込まれている。

ラリックは豪華客船ノルマンディー号などの建築装飾をも手がけたり、宝飾細工師としてもすぐれていたとのことである。

美術館の入場券の絵柄が一人一人違っていた。夫のはショーウインドーの装飾「蝶の女」、私のは「冬景色」という名のペンダント兼ブローチであった。実物は樹木や窓枠に雪が積もり、宝石がいっぱい散りばめてある。大層豪華な代物で思わずため息が出た。ツアーの仲間も「あ、私のはこれだ」と言って入場券と実物を見比べている。

次に行った、絶景であるはずの十国峠でも富士山は見えず、強風で飛ばされそうになり早々にケーブルカーの駅舎にもどった。
帰路、三島駅のプラットホームからようやく富士の姿を見ることができた。
近頃はどうもすっきりしないモヤモヤとした気分の毎日であったが、それもすっかりふっ飛んで、元の元気な自分にもどった面白い旅だった。

（平成二十八年九月）

〈美術館の入場券〉

冬景色

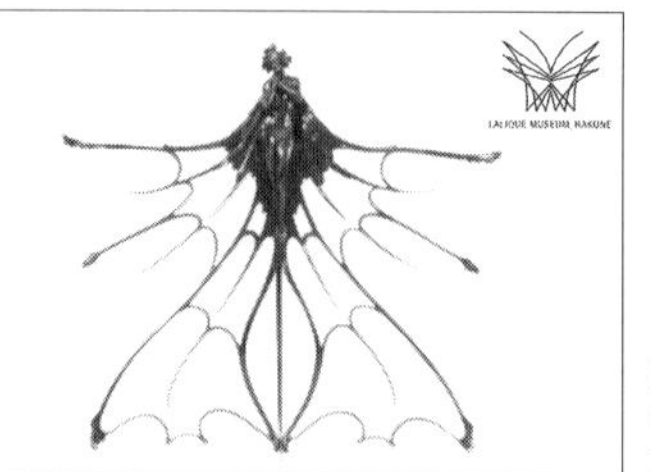

蝶の女

ちょっとした小旅行気分

朝六時半、あいの風とやま鉄道は学生たちでいっぱいだった。車内はにぎやかなおしゃべりに満ちている。

「あれ、いまの生徒さんはこんなに大きくて長いリュックサックを担いで通学するのか。なにをそんなにたくさん入れているのだろう」と老人の私は物珍しく眺めた。女子高校生は小さなぬいぐるみなど、お気に入りのグッズをぶら下げている。

通っている学校によって降りていく人、乗ってくるグループなど、乗り降りが頻繁だ。金沢の一つ手前の東金沢駅で、学生たちにまじって下車をした。タクシーの運転手さんが「この辺は学校が多いんですよ」と言った。

私はA総合病院の眼科に行くのだ。ここの病院で八年前に両眼の白内障手術を受けた。ところが一年ほど前から左眼が見えにくくなってきた。片眼で網の目チャートを見ても、一部がゆがんで見える。緑内障で失明するのではないかと不安な気持ちになった。

富山市内の眼科では、緑内障の眼ぐすりはもらっている。「大丈夫だけれどA病院の○○先生に診てもらってこられますか。あの先生は上手なんだ」と紹介状を書いてくれた。「○○先生の診察は午前だけだから早く行くように」と注意があった。

病院には八時前に着いた。「ああ、眼科の待合いはこんな感じだった。以前とちっとも変っていない」

視野検査、眼圧測定、眼底検査他、いろいろ調べられた。

「明後日にもう一回来てください。六時半？　そんなに早く来られなくても……」

お昼近くだった。玄関横の喫茶ルームで軽い食事をして行こう。どうせ一日つぶれる覚悟で来たのだ。自由の身である。高齢者ともなれば仕事がそんなに忙しいこともない。サンドイッチとコーヒーを注文した。

二日後、一つ遅い電車に乗った。車内は通勤の背広姿の男性が多かった。やはり学生たちに囲まれていた方が活気があっていいなぁ。

検査の結果、「左眼はたしかに緑内障です。けれど、手術をしてもよく見えるようにはなりません。富山の眼科さんが緑内障用の点眼薬を出してくださっていることだし、これ以上することはありませんね」

早く終わった。昼食をするには早い。喫茶ルームでお茶しよう。ここのママさんは物腰やわらかく、一人一人に優しい。水玉のかわいいお皿にのった紫芋のタルトはおいしかった。水の入ったグラスが、ピサの斜塔のようだ。

今日は秋晴れのいい天気。

手術を覚悟で「入院するなら十一月半ばか十二月上旬だな」と手帳とにらめっこをしてきたけれど、ほっとした気分だ。

二日間病院に通った。別にこれといって急ぐ用事もない私は片道一時間あまりの一人旅、小旅行気分だった。

診察券のカードがまた一枚増えた。

（平成二十八年十月）

酉年の集い

待ちに待った酉年がスタートした。

自分は酉年である。年賀状に年女と書いた。バカだねぇ。自分の年を宣伝しているようなものだ。"待ちに待った" というのは十二年前の酉年は喪中で、年賀欠礼のはがきを出している。鶏の年賀状はどんなデザインにしようかと張り切っていたのだ。実家の母が天寿を全うした。

あれから十二年目の酉年である。嫁さんが富山市の民俗民芸村で土人形の講習を受け、土鈴の鶏を作り私にプレゼントしてくれた。

正月二日、我が家の座敷に娘の家族、東京から帰省した長男、金沢からは夫の妹、それに家の家族六人、総勢十三人が集まった。襖をはずしてテーブルを三つ並べ、白布をかけた。

床の間の鏡餅は、毎年といっていいほど紅白である。餅屋に注文をしたとき、「えっ、今年も紅白ですか」と言った。

三月に結婚をする外孫の祝と、私たち夫婦の結婚六十周年（ダイヤモンド婚式）である。昨年は夫の米寿、その前が……何だったっけ、とにかくいろいろ続く。にぎやかでめでたいことだ。その度にみんなの寄せ書きの色紙や花束の贈呈がある。

孫が花束を受け取ったとき「あれ、誰もカメラマンいないの？」と私が言ったら、若い人たちがはっと気がついて一斉にスマホを向けた。いつも司会は家のあとを継いでいる次男がやり、企画は嫁さんがあれやこれやと考えてくれる。金婚式の年などは、リボンのついたナイフでケーキ入刀をやらされた。

テーブルのごちそうも年々変わってきた。若向きになった。おせち料理は形式上少しだけ。集まってくる皆さんも元日におせちはいただいたことであろう。

途中、私と嫁さん、内孫がかわるがわる席をはずして台所へ。中学の男の子が腕をたくし上げ、湯煎した冷凍ハンバーグの熱湯を捨て、袋から出してお皿にのせている。その手際のいいこと。「鰤、中まで焼けたかね」と私が言うと孫が「これだけの焦げ目なら大丈夫」と自信満々な顔で言った。とにかく張り切っている。「あんた力あるやろ。大根おろしやって」下の孫はどうも台所に立つのが好きらしい。

座敷にもどると息子が「これ、取って置きの赤ワインです」といってふたを開けている。ワインにチーズがよく合った。ハンバーグも、九州から取り寄せておいたいかシューマイも、真だらの子の煮つけもあっという間になくなった。今年の黒豆は私の自信作。弱火で六時間煮た。夫が「専門店のお重に入っている豆よりおいしい」と言ってくれた。

お腹がふくれたころ、誰言うとなく「トランプしよう。ナポレオンを」。後片付けは大勢でやるから、あっという間に片付いた。すっかり美しくなったお年ごろの外孫が、台所でお皿を拭いてくれた。

十代から五十代までの七人が、別の部屋でホットカーペットの上にこたつ型のテーブルを置いて、ワァワァ声を張り上げてトランプに興じている。

昔は負けたら泣いたり怒ったりした下の内孫がもう中学生、すっかり大人になった。お兄ちゃんの方は、大学受験の勉強もほっと息抜きの様子。あら、あら、長男が飲みすぎてうたた寝をしてしまった。

トランプをしない女性が三人ばかり、食堂のテーブルでコーヒーや、みかんを口にしながら女性同士の話に余念がない。

毎年のことながら、一族集(つど)ってワイワイ、ガヤガヤは楽しい。おさんどんもやりがいがあるというもの。来年は外孫のお嫁さんも増えるだろう。ひ孫も来ればごちゃごちゃだ。ご心配なく。八十代後半の我々はその内消えていくから。

下駄箱の上には土鈴の鶏のほかに、陶のニュージーランド製のもの、富山県五箇山の紙粘土の鶏が並んでいる。ふっと気がつけば、家の中のあちこちに鶏がいる。姉の旦那が昔ロシヤの土産にくれた毛のついた壁掛けや、私がポルトガルで買ってきたコルク製鍋敷きも鶏の絵だ。汚れるともったいないので、食器棚の持ち手にぶら下げてある。日本と違ってこの雄鶏（おんどり）は、羽にモダンではなやかな模様が描いてある。

家中のとりに囲まれて一年がはじまった。ニュージーランドの鶏の底には HAppY HENS（幸せの雌鶏（めんどり））とある。これをプレゼントしてくれた人に「ありがとう」と言いたい。

来年も鏡餅は紅白になりそうだ。

（平成二十九年一月）

ふるさとに暮らす

先日、仲良くしていた女学校時代の友人から電話があった。

「数日したら神奈川県に住む息子のところへ引越すことになりました。今嫁が来てくれて家の中のものを荷造りしてもらっているところなの」

「あらあ、寂しくなるわ。今まで住んでいた家はどうするの？」

「しばらく空家にしておこうと思うの」

「もったいないわ。誰かに貸したら」

「貸すとなると、あっちこっち修理しなければならないし、もうオンボロなの」

「向こうへ落ち着かれたら住所知らせてね」と言って電話を切った。

その人は昨年ご主人を亡くされ、ちょうど一周忌をすませたころである。人柄もよく、仲のいいご夫婦だった。時々手作りの野菜を届けてくださったり、餅をついたからと言って、黄粉や小豆のあんこをまぶしたぼた餅をもらったこともある。不揃いで手作りらしい温かい味だった。

ほかにも子どもを頼って引越した人を何人か知っている。なかには、息子と一緒に住みはじめたけれど嫁と折り合いが悪く、また富山に戻ってきて、一人でひっそりと暮らしている人もいると聞いた。

いずれにしても年をとってから住み慣れたふるさとを離れ、知らない人ばかりいる街に行くことには勇気がいる。環境も違うし、話をする相手もいない。幸い電話をしてきた友人は、若いころに住んでいたところへ戻るので、そんなに違和感がないと思う。むしろ懐かしいかも知れない。よかった。

老いは心細い。私はまわりに息子や明るい嫁、孫たちもいるし、近くには娘の家族も住んでいる。仕事があまりなくなった今も、隣の町内にある自営の会社に出勤をし、従業員の皆さんとも喋る。にぎやかで幸せなことだ。嫁曰く。「お母さんのまわりはにぎやか過ぎますね。でも一番にぎやかなのはお母さんかも……」と。

現代(いま)は、長男だから家の跡を継ぐ、という昔からの風習がなくなってきた。だから親が老いると若い人を頼って移動をする、世の中もずいぶん変わってきたものだ。私は嫁に、「貴女も息子を手元に残しておかんにゃ(おくように)」と言った。

私はいけばなをやっている関係で、友だちもたくさんいる。諸流合同の華道展や親睦旅行、春には総会に集う。技術向上のための勉強会もある。でもいけばな活動も、重い花器が運べないなどで年とともに身体的に負担を感じるようになった。

夫は八十八歳で元気だ。だが交流していた人がばたばたと亡くなっていった。ゴルフをする元気な相手を見つけなければいけない。

自ら進んでカルチャー教室などに通い、積極的に友だちを作ろうとする人はよい。が、そうでない人は手持ち無沙汰になるだろう。自分のまわりをにぎやかにする人、そうでない人、人はそれぞれである。

私の長男は東京にいる。仕事のかたわらカルチャー教室や空手道場に通っているらしい。まわりに交流する相手を持っている。それはそれでいいのだが、親としては独身の彼が老いたときのことを考えると、体力のあるうちにふるさとに帰って来た方がいいなぁ、と思ったりしている。息子はどう考えているのだろう。老後のことをそろそろ考えねばならないのでないか。

富山市名誉市民、中尾哲雄氏の作詞でこんな詩（うた）がある。

♪帰りきたよ　ふるさと
富山の人　みなやさし
立山　神通輝いて
ここに生きん　ふるさと

ふるさとはいいもんだ。年を取って一人ぼっちは寂しい。笑いのない暮らしはイヤだ。私は毎日にぎやかに過ごせて幸せだと思う。

（平成二十九年三月）

知恵を出し合った披露宴

「あれ？　変わったテーブルセッティングだね」

「ほんと、テーブルの真ん中に大ぶりの木が生けてある」

「この木はあせび、馬が酔う木と書くがやぜ（書くんです）。葉には毒があるからね」と私。「新郎の職業は造林業だから、隆ちゃんのアイデアかも」

そういえば壁面にも、ガラスの花瓶にあせびが大きく挿してある。

「さすがだね。凝ってるね」

「でも、テーブルの向かいの人を写すのに、ちょっと邪魔にならない？」

「まあ、いいじゃない」

こんな会話が外孫の結婚披露宴で、家族の間に交わされた。会場全体が自然の中にいるような快適な空間をかもし出している。

あせびは関西など南の方に多いのか、大阪でのいけばな勉強会によく出た。新郎の仕事先は京都府である。

披露宴では若い二人のアイデアがまだあった。テーブルの上のネームカードの裏に、それぞれの相手によってメッセージが書いてある。おじいちゃんには「今日の姿をお見せすることが出来てうれしいです」とか私のは「おばあちゃんからしょわしない（せわしない）子、と言われて、そのまま育ってきました」また、家の下の孫には「ゲームばかりしてないで勉強しろよ」などである。

食事は前もって三種類の中から選ぶサービスが利用できた。魚はどれに？　伊勢えびにするか、肉料理は……、ご飯物はお寿司、八尾のそば、あるいはパエリアから選ぶ。デザートは？　ああ迷うなあ。迷うのも楽しみの一つだった。だから、隣の人と食べているものが違うこともある。自分で選んだ料理だからみんなおいしかった。

私の娘や息子のときとは、披露宴もずい分違ってきたものだ。媒酌人がいない。ひな壇は新郎新婦のみ。招待者は友人がやたらに多い。親は披露宴がどうなっているのか、全く知らなかったらしい。引き出物の相談にのったぐらいだとか。県外の出席者が多いので、引き出物には富山県の名産品の詰め合せも考慮に入れてあった。例えば、ほたるいかの甘露煮とか、氷見うどん、ブラックラーメンなど。そしてかまぼこは、知人にも分けやすいように、小ぶりの鯛、鶴亀、紅白のものが箱に入っていた。その昔、でっかくて重い鯛のかまぼこは、見ただけでもうんざりしたものだ。

宴の最後に会場のスクリーンには、新郎新婦の子ども時代、お付き合いの様子が若くてぴちぴちとした感じで写し出された。あれ？　親族控室での談笑、神前の三三九度、おひらきの二人の退場までがもう写っている。何という早業なんだ。スクリーンの写真を見て、すっかり婆さんになった姿にがっかりした。「背中を丸くして、この無様な格好は何だ！」と、もう一人の自分が怒っている。それにひきかえ、外孫二人の振袖姿は華やかだった。

出口では、新郎新婦が大きな篭に「ムッシュージー」のお店のマカロンを入れて一人一人に手渡してくれた。

小原流の月刊誌、四月号の「挿花」に、独身の家元と日本料理「つきぢ田村」の三代目との対談が出ていた。「結婚するなら景色のいい女より、間取りのいい女にしろ」という言葉が出てくる。つまり、「美人よりも、一緒に暮らしやすい女性がいい」ということだそうだ。

今日の新婦は、その両方がかね備わっている感じだった。孫は、いい女性を見つけたものだ。

二人で知恵を出し合い、考えて考えての披露宴だということがよく伝わってきた。お幸せに。

（平成二十九年四月）

ドーナッツで若返るゥ

名古屋でいけばなの稽古の帰り、

「ドーナッツのおいしい店があるので買っていくけど、先生は？」

と彼女が言った。彼女は私の弟子である。

「私はやめておく」

フン！　ドーナッツなんていくらおいしくてもたいしたことなかろう、と思った。

ＪＲの電車の中で、彼女はおもむろにふたをめくって見せてくれた。ハローウィンをイメージしたひょうきんな顔をしたのが、チョコレートやクリームで彩られ、六個箱に入っ

ている。ドーナッツと言っても必ずしも真ん中に穴があいているとは限らない。

「あれっ、楽しそうだな。買ってくればよかった」

「今日は買ったぞ、ハローウィン」重くはないけれどかさばる。箱を横にするのも、崩れそうでできない。

嫁さんからスマホで、少しかじっては写真が送られてきた。

「ごちそうさま、頭一口かじった」

「顔半分になった」

こっけいだね。十一月下旬からは、クリスマス仕様になるそうだ。それが終わるとイースターだって。そうしたら、あんこがおいしい和菓子の店も無視だ。

「ああ、今日は楽しかった。ゆううつな年寄り気分はどこかに吹っ飛んでしまった」

夜、玄関に入って本当にそう思った。名古屋駅構内でお目当ての〝クリスピー・クリーム・ドーナッツ〟を、彼女のお陰で発車時刻ぎりぎりに買えた。

八十四歳ともなれば、名古屋へ一人で行くのが不安だ。若い人についてきてもらっている。米原でひかり号に乗り換えるときは、彼女が先に走り、自由席の列に並んでくれる。

先生宅に向かう。

お花は前もって予約がしてあるので、いつもの座る場所に材料を入れたバケツを置いてくれている。

「さっさと生けよう。時間をかけて丁寧に生けたから上手（うま）いということもなかろう。直感を生かそう」

教室の中で一番年配者でもあるので、助手の方が花器に水を入れたりしてくれる。室内では杖をつかないので、足元がよろよろと危なげだ。みんな優しい。帰りは、花袋や鞄は彼女が持ってくれた。「気の毒な（申し訳ない）」

遅めの昼食は名古屋駅の高島屋で。いつものお気に入りの店に入る。ほっとした気持ち。飲み物で乾杯！「ご苦労さまでした」。私は赤ワイン、彼女のは明るいオレンジ色の液体がハイカラなグラスに入って、ミントが浮いている。ストローつきだ。「あれ、ワインよりおいしそうだ」相手のものは何でもよくなって見える。

「一口飲んでみる？」と彼女は羨ましそうに見ている私にグラスを差し出した。こうなると私は子どもみたいだ。

「今日のお買いものは？」

「通勤用の手提げ袋がくたびれてきたので、袋物とドーナッツ」と私が答えた。

「時間があまりないですね」

袋物はすぐ決まった。彼女も一つ買った。包装と会計に時間がかかる。発車まで十七分しかない。「私が支払いをすませて行くから、先生はドーナッツ屋に走って！」

改札口近くのドーナッツ屋に来た。「この六個入りセットを三箱ください」

選んでいるひまはない。店の人が準備している間に会計の列に並ぶ。彼女があとを追って来た。

「支払いをして走るから、先生はプラットホームに向かって。あと八分しかない」

ああ、心臓がドキドキしてきた。急な階段を手すりにつかまりながら上る。座席に着いたころ、私の荷物やら彼女自身の荷物、ドーナッツなど両手にいっぱい持ってフーフー駆け上がってきた。世話のかかる私でごめんなさい。

彼女は荷物を席に置き「あと三分、飲み物を買わなきゃ」と、ホームの売店に走った。私は電車が発車できないように、デッキから体をのり出していた。

「ドーナッツ一箱はあなたの分よ。余分に買ったから」

久し振りに慌てた。その行動でかえって元気が出た。箱を何べんも開け、赤いてんとう虫、彩られたイースタエッグなど、何度見ても飽きない。
勉強をしに行っているのか、買物を楽しんでいるのか、どっちだろう。元気になっていくことを実感している。

（平成二十九年四月）

思いがけない温泉旅行

六月、高岡市に住む娘が温泉に招待してくれた。といっても高岡市の商店街感謝祭の抽選に、温泉招待の特賞が当たったのである。宿泊はウイークデーに限るということであった。自分たちは会社がある。それなら両親に、ということになったようだ。

温泉は石川県の和倉、山代、片山津、または富山県の氷見温泉郷の中から選び、旅館も指定されている。能登半島にある和倉温泉は遠いからということで、ＪＲで一時間で行ける山代温泉「大のや」を希望した。

加賀温泉駅まで旅館の車が迎えにきていた。三時過ぎ旅館に入る。

老舗の旅館であったが、ウイークデーはひっそりとしていた。全館貸し切っている感じだ。がやがやと団体客などが大勢いても落ち着かないけれど、あまり人がいないのも心細い。

到着してすぐ、ロビーの横の茶寮でくるみゆべしのお菓子と抹茶のサービスを受けた。

お菓子はもちもちっとしておいしかった。旅館の人はみんな親切である。

部屋へ行くまでの通路には、純和風のしつらえが施されており、池に見立てたところに八つ橋がかけられ、その際に花菖蒲が生けてある。部屋は五階だった。途中、誰にも会わなかった。部屋の窓からは、杉や、楓、竹など、うっそうとした樹林が望まれた。「なんか山の中だね」と私が言った。ベランダに出れば森林浴にもなる。都会からくる人にはうれしい環境かもしれない。

夫は「すぐお風呂に行ってくる」とタオルを持って出て行った。私は四時半ごろ入ったが、広々とした大浴場はお湯があふれるほどに浴槽からこぼれているのに私一人だった。ラッキー！　手足をのびのびと伸ばした。私にとって、ちょうどのお湯の温度だった。お風呂は朝風呂と二回入ったが、不思議なことに左胸の軽い打ち身が治ってしまった。こんなにも効能がすぐ表れるものなのか――。

夕食まで時間があった。夫が「少し散歩してこようか」と言った。小雨の降るなか旅館の下駄を履いて、すぐ向かいのお土産屋に入った。若い女の子が二、三人街を歩いているだけで、誰も歩いていない。どうなっているのだろう、このひっそり閑とした温泉街は。休日には賑わうと思うけれど……。嫁にメールをした。「人がいない。泊り客も、街にも」

夕食はお食事処でではなく、すぐ近くの空いている客室で二人向かい合っていただいた。正座できないことを前もって告げておいたので、低めの椅子が用意してあった。夫は座布団二枚重ねを希望しておいた。

温かいごちそうが年寄りには食べきれないほど出た。焼きあわび、きのこの柳川風、煮物、牛肉と温野菜、焼き物、そして氷の上にお刺身が、これまた大きなお皿にどっさり出た。どれもおいしかったけれど……。思わず嫁に「こんなにたくさん食べられないよう。ここにきて食べるの手伝ってぇ」とメールした。そしたら「なんて羨ましいお叫び……。のんびりしてこられませ」と、バスタオルにくるまって、後向きにごろりと寝転がっているかわいいスタンプが送られてきた。

もう眠くなった。普段はベッドなのに畳の上は足の具合が悪い私にとって苦手だけれど、旅館なのだから仕方がない。

次の朝、チェックアウトのとき客はほかに二組いた。夫婦一組売店で見かけ、もう一人は年配の男性が、ロビーで新聞を読んでいた。娘のお土産に、くるみゆべしときくらげの佃煮を買った。

「ご招待をありがとう。のんびりと楽しみました」。

（平成二十九年六月）

電話で大声の会話

東京に住む高校時代の友人から電話があった。この度私が出版した『八十四歳だらしがないぞ』のエッセイ集を送ったが、本はもう読んでくれたらしい。

「あなたは本当に満点にお幸せな人ですね。きっと生まれる前にいいことをなさったので、神様があなたを手のひらにのせて『人生幸せに暮らしていなさい』と言っていらっしゃるのよ。本当にこの世に数少ない幸せな方よ。足の具合が悪いとおっしゃるけれど、足の痛いのは命にかかわることではないでしょ」

ここは自営の会社の中である。夫も私も仕事があろうがなかろうが、毎日会社に出勤している。自宅は昼間は空っぽだ。だから同級会の名簿には、電話は会社の番号を登録してある。

コンピューターの調子が悪いので、外部から専門家が二人来て、あれや、これやとパソコンをいじっている。私は耳が遠いので受話器に向かって大きな声で仕事以外のことをしゃべっている。この年寄りには困ったものだ。相手も会社内であることに気がつかないのか、何をしゃべっても関係がないという風だ。

「女学校のとき、図書委員をしてたの。図書室にあった『風と共に去りぬ』が読みたくて、読みたくてたまらず、翌日が国語の試験なのに、夜中三時ごろまで読んでいたの。眠い目をこすって学校へ行ったけど、でもね、国語の試験は九十六点だったと思うよ」

私は「ふん、ふん」と聞いた。彼女の話はあっちこっちに跳ぶ。

私たちは入学をしたのが女学校だったが、戦後のドサクサで男女共学の新制高校に切り替わった時代なのだ。

「六、七年前、東京で水泳部五人寄ったの楽しかったわね」

「そうね。そのうちの咲ちゃんはお元気だけど、F君が昨年の暮れに亡くなったの。知ってた？」

「あら、F君亡くなったの。よく遊んだのに……。あなたM君好きだったんでしょ」

「どうしてわかる？」

「わかってたわよ。初恋の人ね」

そこでまわりに人がいることを気遣って、「違う。（初恋の人は）マクベスを演じた人よ。

ふふふ」と初恋の人を省略した。

高校一年の学園祭での出し物は、演劇マクベスだった。私はマクベス夫人を演じた。六十五年前のことをいま反省すると、マクベス夫人はもっとすご味を利かせ、悪者に徹しなければならなかったのだった。

以後、マクベスさんのことを毎日のように日記に書くことになった。

「もう一度、高校時代に戻りたいね！」

耳が遠い私は思わず大きな声で叫んでしまって「はっ」とした。あとで嫁から、

「パソコンの調子が悪く四苦八苦しているのに、お母さんったら大きな声で……、ひやひやしてました」

年を取ると世の中我が物顔でダメだなぁ。でも懲りもせず話はまだ続く。

「私一〇〇号の絵を描いて新国立美術館や都立美術館に飾らせてもらっているの」

「すごいね。だけど一〇〇号の絵って体力がいるでしょ」

「でも好きなことだから頑張れるの」

なるほど。一生を通じて自分の好きなことを持つということは、とても大切なことだと私も思う。

彼女は幸せそうに言った。

「主人がアトランタの会社に行ってたので、私も一緒に行ってきたの。女学校のときの夢がかなったの」

アトランタは、小説『風と共に去りぬ』の舞台となったアメリカ、ジョージア州の都市である。

「年を取ってから幸せになったけど、この幸せを大事にしてゆきたいと思っているの」と彼女は締めくくった。

「ふん、ふん」、私は冷や冷やして聞いていたけれど楽しかった。高校時代に戻った気分だった。級友っていいもんだ。ではまたね。


（平成二十九年八月）

墓参り

お盆の墓参りはここ六十年間、十五日と決まっている。夫の両親の墓は、富山県小矢部市西中の願稱寺にある。最近は境内ばかりでなく、まわりの田んぼだったところにも墓が増えてきた。

毎年午前十時に住職と従僧にお経を頼んであるので、一族はその時間に合わせて花持参で集まってくる。大きい穴が幾つもあり、花がたくさん入る墓である。昔は十人ほどの親族一同だったのが、甥や姪の子どもたちが結婚をし、その家族も加わって、今年は二十人あまりの団体だ。辺りを見まわしても大抵は家族単位三、四人でのお参りなのに。駐車場で、あるいは墓の前で、「こんにちは。この子大きくなったね」とか「お久し振りね」とかの挨拶をする。

本家の隣、同じ敷地内に分家である我が家の墓が、もう何年も前から建ててある。遠慮をして本家より小さめだ。墓のデザインは両方とも同じ造形作家の作であるから、二基並んでいても違和感がない。大小お揃いといった感じだ。家の墓はまだ誰も入っていない。後ろの扉はカギがかかったままである。隣は花がこれでもか、これでもかといっぱい必要だけれど、家のは穴が二つだけ。でもいま気がついたら、ろうそく立てが五つもあるぞ。

突然、私は嫁さんに、

「私が死んでも墓参りはしなくていいよ」

と言った。嫁さんは、

「お母さん、みんなの前で何を言い出すの」というような困惑の表情をみせた。あけすけな私はつづけて言った。

「だって魂は墓の中にいないもん」

おそらくこの宇宙のどこかに風に吹かれて漂っているに違いない。そして家族を見守っていることだろう。

その夜、布団の中で、「どうしてあんなことを言ってしまったのだろう」と反省をした。お寺さんが聞いたら叱るだろう。でも考えてみても、墓の中はせまくて真っ暗だ。そんなところに入りたくない。まるで網走の監獄みたいだ。昔、重罪を犯して本州から送られてきた罪人は、窓がないレンガ造りの独居房に入れられた。光も音もない世界は気が狂う。

これでは人権無視だ。

墓への思いはこれで一休みとする。

一同、南砺市城端の本家に移動する。応接間で冷たいお茶やジュースを飲み、山田川が見える座敷で二十数名、向かい合わせに長いテーブルを囲んで食事が始まる。ごちそうの数々を書いたらキリがない。うなぎがたっぷりのうな重、揚げ物、高級チーズ、ますずし等などが盛りだくさんに並んでいる。老人の私には、冷たい茄子と油揚げの煮染めがおいしかった。この町のお豆腐屋の油揚げは素朴な味がする。お土産をもらい、長老の私たちは見送りを受けて車に乗る。

次の行き先は私の実家の墓である。南砺市井波の八乙女山の麓にある。坂道ばかりなので「来年は来られるだろうか」と思う。でも夫は「僕は生きている限り来る」と言う。

少し離れたところに山からの湧き水が、蓮の花を形どった銅器の八方の口から流れ落ちている。花を挿す瓶(びん)の水はそこへ汲みに行く。若い孫は走って汲みに行ってくれる。

実家の墓は同じ敷地内に三基ある。家の墓は苔むした石段を八段ばかり昇って、二階部分にある。エスカレーターがほしいところだ。一階には両脇に一基ずつあるが、その内の一つは家紋がちがう。弟も父の代からも

「誰の墓なのか、あまりにも大昔のことなのでわからないまま、線香を立ててお参りしている」

と言う。

ようやく一日の行事は無事終了。ほっとした気持ちで富山市に向かって車を走らせる。

毎年八月十五日の変わらぬ行事である。

ナムアミダブツ

（平成二十九年八月）

さようならNさん

その人はとっさに学生服のポケットに挿していた自分の万年筆を取り出して言った。

「これあげる」

「そんな大事なものを」

「これはいつも僕が使っていた万年筆だから、記念に取っておいて」

私は新品の万年筆ではなく、彼がいつも使っていたものをもらったことが嬉しかった。

二人は突っ立ったまま、顔を見合わせてにっこり笑った。そのあとどんな言葉を交わしたのかは忘れてしまった。高校卒業間近の誰もいない理科室だったと思う。六十五年ほども前の、おぼろげな記憶だ。

その人の名前が今日おくやみ欄に載った。私は思わず「えっ！」と声を出した。

今年六月ごろ、私が出版した『八十四歳だらしがないぞ』の本を彼に送った。奥さんの手紙には、「最近少々疲れてきた主人もニヤ笑いをしながら読んでいます。主人は手紙を書くのが苦手で……」と書いてあった。その手紙には、「四月に血液の病気で三週間ほど入院をしていたけれど、退院をしていまは元気です。今日も床屋に行ってきたので、部屋中に整髪料の匂いが漂っています」としたためてある。

彼は交通事故で足が不自由になり、部屋にいることが多かったようだ。奥さんに見守られながら、おだやかな毎日を過ごしているのだな、と私はそう感じていた。私は返信の中で、

「Nさんは手紙を書くのが苦手でも、討論会をやらせたらすごいんだよ。相手をこてんこてんにやっつける」

と、高校時代の校内討論会の風景を思い浮かべながら書いた。体が弱いけれど頭脳はピカピカだった。生徒会長をしていた。

高校一年のとき、学園祭でシェークスピアの『マクベス』を演じた。彼はマクベス、私がマクベス夫人だった。衣裳はそれぞれが工夫して作った。マクベスは、分厚いテーブル掛けのようなものを羽織り、頭に金色の、先がとがった烏帽子風のものをかぶり、白いズボンの上に赤い紐を×印に巻き上げた。顔に八の字のひげをつけ、すっかり主役らしい風格となった。

彼は二年生からは舞台のセットや照明の方面を受け持った。偶然誰もいない校内の廊下ですれ違ったことがある。私は目のやり場に困った。お互いににこりともせず、すました顔ですれ違う。そのくせ私の心の中は動揺していた。危うく火の用心のバケツにつまずきそうになった。そのころは消火器ではなく、水を汲んだバケツが廊下のところどころに置いてあった。

三年生のとき、私は北陸三県水泳大会に出場した。全校生徒が講堂に集められ、私と補欠のSちゃんが拍手で迎え入れられた。生徒会長の激励の言葉ののち、私は、「悔いのないように力の限り頑張ってきます」と挨拶をした。——あゝ、そんなこともあったのだなあ——。

おくやみ欄を見てすぐ奥さんに電話をした。奥さんはこと細かに亡くなるまでの様子を話してくれた。しばらくの入院だったという。悪化する半日前までは看護師さんをからかったり、冗談を言ったりしていた。痛いところもなく、苦しまずに逝ってしまった。「血小板減少症」で、最後の脳出血はどうしようもなかったなど話してくれた。私が電話をしたことが奥さんは余程嬉しかったようだった。最後に、「数年前までは同級会も毎年楽しんでいたのに」とつけ加えた。

六十二歳のとき、私は大腿骨を折り正座できなくなった。そのため、同級会はいつも欠席の返事を出していた。ある年、「正座ができなくても出席しませんか。僕は車椅子です」のはがきを貰った。以後、参加するようになったが、彼は奥さん同伴だった。私は喋りたい気持ちはあっても笑顔だけを見せ、夫婦の邪魔をしないように知らぬ顔をしていた。

それにしても、彼が私の初恋の人だったということ、奥さんは知っていたのだろうか。常に疑問に思っていたことである。彼のことだから、「あっちから先に熱を上げてきたんだ」と言っていたかも知れない。

その日の夜、すごく仲良くしていた東京に住むSちゃんに、「Nさん亡くなった……」と報告をした。Sちゃんは何と言っていいかわからず、しばらく黙っていた。

「……みんな亡くなっていくね」と、彼女はポツリと言った。

あのとき貰った万年筆は大切にしていたが、長い年月が経つ間にわからなくなった。探しても見つからない。

（平成二十九年九月）

平均年齢が若くなった披露宴

人生八十五年、これだけ生きていたら、いろんな結婚式に出席している。若いころの媒酌人二、三回も含めて三十回ぐらいになるだろうか。でも今日ほど楽しい披露宴はなかった。本当に楽しかった。

若いときは黒留め袖を着て緊張して出席したものだ。年配者の祝辞がながながと続き、料理も和食が多かったように思う。もちろん雛壇は媒酌人夫妻を含めて四人である。家に帰って「やれ、やれ疲れた」と早々に着物を脱いだ。

息子や娘の披露宴になると、自分の年齢も五十代、六十代と人生にも自信がつき、社会的にも活躍しているし、一番脂ののった時代である。夫とともにぬかりのないよう段取りをした。当日は来賓への挨拶、お酌、お帰りの際のタクシーチケットなど動きまわった。ことに家のあとを継ぐ息子の場合は、商売をしている関係上、取引先の社長を大勢招待した。昭和の終わりから平成のはじめごろは、まだそんな時代だった。

ところが近年媒酌人がいない。親戚よりも会社の同僚や友人がやたらに多い。親戚代表の挨拶もない。出席者の平均年齢がぐんと若くなった。

今年十一月に、富山市環水公園前に建っているララ・シャンスで外孫の結婚式があった。待ち合わせ小ホールでの窓からの眺めは、水と明かりと細い木がエキゾチックで「いいねぇ」と嫁さんと見ていたら、空に風船がいくつも飛んだ。午前の部のカップルのものだろう。

教会での結婚式はなかなかよかった。スタイルのいい純白スーツの花婿が入場してきた。週刊誌のカラーページにでも出てきそうな俳優並みの美男子だ。次に父親と孫である花嫁が手を組んで入ってきた。花嫁はにこにこと今にも笑い出しそうな顔で、緊張なんてしていない。かわいい。純白の二人が並び長いドレスの裾を引きずった花嫁が祭壇の前に。牧師は外国人だった。二人の清楚な姿がシルエットになった。絵のようだ。退場のときは、天井からも両側の出席者からもピンクの花びらがまかれた。今まで出席した結婚式は、ほとんどが綿帽子、三三九度だった。

最近、女性の出席者は洋装が多くなってきた。だが、和服もなかなかいいものだ。どんなに素敵な洋装でも、和服にはかなわない。上の孫娘の着た訪問着には、帯が品よく映えていた。この訪問着は、娘が成人したときに本家から祝いにもらったものだ。水色と淡いピンクのイメージで、ところどころに亀甲型の模様が控えめに入っている。四十年ほど前のものだが、手入れがいいのか新品同様だ。着物は親子がずっと使えるので箪笥の中の財産である。

披露宴は、アルコールが入ってくると若者たちの賑やかなこと。とりわけ、男性の方が活気があっていい。くだけたアトラクションも繰り広げられた。いい気持ちに酔った若い男性が、にこにこ顔で私たち年寄りの親族のテーブルに来てお酌をし、返杯を受けてもどって行った。こちらも思わず笑って愉快になった。昔のように黒留め袖は緊張していなかった。

花婿が手作りのボンドで張り合わせたような衣装をつけ、会場内をおどけて歌ってまわった。歌はうまかった。花婿が歌う披露宴もはじめてだ。

そんなこんなで今までにない打ち解けて楽しい結婚披露宴だった。おひらきのあと、私たち親族みんなで水と光のガーデンでカメラに納まりVサインをした。

（平成二十九年十一月）

真心の野菜に感謝

十二月、女学校時代の同級生Nさんが、砺波市庄川町から富山まで息子さんに運転をさせて自家製の野菜をいっぱい、いっぱい持ってきてくれた。ひと冬かかって食べるほどの量のねぎ、大きなかぶら五個、細長いかぼちゃ、白菜、里芋などなどである。泥のついた野菜の袋が、びっくりするほど会社の事務所横の車庫に、どっさり降ろされた。朝市が開けるほどである。

「ねぎは大きい植木鉢に立て、泥を入れておくと長もちする。白菜にはもしかして、みみずがいるかもしれないから、一枚、一枚はがして調べながら使ってください」

と、息子さんが言った。親孝行な、いい息子さんだ。

「あんた、かぶらずし作られるがやろ？（作るんでしょ）だから大きいかぶら持ってきた」

とNさん。

「あれっ、それは昔のこと。今はそんな面倒くさいもの作らない。既製品を買ってくる」

長いかぼちゃは以前にももらったことがある。丸いのは転がるので力がなくなった今は切るのに苦労するが、これは楽に切れる。味も悪くない。

近くに住む弟に
「友だちからねぎをたくさんもらったけど、食べる?」
と聞いた。
「今晩、すき焼きをしようと思ってるけど」

弟は車ですぐ取りに来た。「わあ、こんなにたくさんねぎをもらったら肉が足りない」と笑った。私は嫁に、「この白菜あげる。みみずがいるかも知れないって」

「いやーん、みみず嫌い」

と嫁。事務所にみみずの好きな女性がいる。冷たい風が吹く車庫にしゃがみ、古新聞の上で一枚、一枚はがして調べてくれた。

「みみずいないよ」


もう一人の女性Yさんの家も野菜を作っているらしい。

「みみずがいるとすれば、外側に近い方にいる。中心部にはいない」

と机の上で手を動かしながらしゃべっている。

「みみずがいたら、ゆでたとき浮いてくるから」

「ヒェー」と私と嫁は声を張りあげた。

夜、夫と二人だけの食事に、ねぎをすぐ食べたくて牛肉と一緒に煮た。やわらかくておいしかった。昔、知人にもらった群馬の下仁田（しもにた）ねぎを思い出した。スーパーに売っているのはどうしてあんなに硬いのだろう。肥料の関係だろうか。棒のようだ。しかも、一本か二本、大切そうにセロファンの袋に入っている。

野菜は、今日の午前に土から掘り上げて、午後に持ってきてくれたようだ。新鮮そのものだ。友人の真心を有難く思った。後日、弟から、

「今晩鍋ものをした。小さいみみずが二匹いた。みみずがいるほどあって、おいしい白菜だった。生産者の方によろしく」とメールが入った。

数日して彼女から、

「かぶらずしを作ったから送るね。お口に合うかどうかわからないけど」

と電話があった。次の日、大きなタッパーにたくさん入って送られてきた。朝一番に郵便局に持ち込み、当日配達を希望したらしい。夜にはもう着いた。本人は、郵送中の荷物が暖かいところに置かれなかったか気にしている。

「何時に着いた？　すぐ冷蔵庫に入れてね」

かぶらも魚の身も厚い。素朴で里山の味だ。それに真心もこもっている。

「家族でほめながら、おいしい、おいしいと言って食べました。市販されているのは上品過ぎ、よそゆきの味やわ」と言ったら、「あれ、そうお」と、まんざらでもないような声だった。最後に彼女は、「気遣わんでもいいよ」と言った。ありがとう。

それにしても、おいしいものを作って人に分けてあげる、何と不思議ですばらしい方なんだろう。不器用な私にはまねのできないことである。彼女は少し腰が曲がっている。野菜を作るって大変なことなのに、同じ八十四歳でも頑張っているなあ。

娘時代は、彼女も私も現、南砺市に住んでいた。戦後のものがなかった頃、衣類の購入は切符制だった。自分は子どもだったので、その切符というものを見たことがなかった。

私の家は呉服屋だったが、広い店内は品物がろくになくガランとしていた。下着の類が少し並べてあったように思う。

お金を持っていても物がない時代、私の母が我が子に着せようと思っていたであろう服を、子どもだったNさんに分けてあげたことがあったらしい。自分はそんなこと全然知らない。最近本人の口からはじめて聞いたことだ。Nさんはよほど嬉しかったのであろう。ありがとう。こうやって毎年のように野菜を届けてくれる。野菜は体にいい。感謝することしきりである。

（平成二十九年十二月）

定期診療の帰りに

一月九日、富山大学付属病院での三ヵ月に一度の定期診療を終えた。予約制なのに連休明けの今日はやたらに混んでいた。外は風が強く霙（みぞれ）がななめに降っている。

今日は早く帰りたい。会長も社長も新潟方面へ新年の挨拶まわりに出掛けて留守だ。会長である私の夫は、年齢的に、「今年で最後か」と言いつつ、毎年出掛けている。少ない従業員の他は、嫁が事務所で頑張っている。早く帰らないとと焦る。いつもは診療を終えたら病院のコーヒーショップでゆっくりサンドイッチで食事をし、三十分に一本出ているバスに乗って帰るのだが、今日はそんな悠長な気分ではない。

ここの病院は、市街地より離れた小高い山の上に建っている。タクシー乗り場には大抵一台ぐらいは待機しているのに今日はいない。携帯でタクシー会社に電話をした。

「やあ、天候が悪いので混んでいるんです。四十分か、五十分待っていただくことに」

「そんなに？　じゃいいです」

仕方がない。バスで帰ろう。空を恨めしく眺める。そのとき、目の前を空車のタクシーが走り過ぎた。

「そうだ、タクシーに乗って午後の診療に来るお年寄りがいる筈だ。その空車をつかまえればいいのだ」と気がついた。正面玄関に立っていると、案の定、二台つづけて入ってきた。お年寄りはなかなか降りてこない。タクシー代を支払うのにどれだけ時間をかけているのか。そのおばあちゃんは私と同年齢ぐらいだろうか。空車になったところに乗る。運転手にしてみればカラで帰るよりも、往復とも客を乗せた方がいいに決まっている。

山をやや下りたころ運転手が喋り出した。さっき乗せてきた客の話である。

「黒部の方から新幹線で来て、富山で降りたんだって。そして駅前の大学附属病院行きのバス停で待っていたら、バスが入って来たので乗った。その人は富山市内のことはよくわからないが、何か変だと思いながら乗っていた。でも遠まわりをしてでも、最終的には病院に着くものだと信じ込んでいたそうな。ところが『終点ですよ。降りてください』と言われて降りたけれど病院がない。ここがどこなのか、さっぱり分からない。人に聞くと『ここは四方(よかた)です』と言われたのだって」

四方は富山湾に面した漁港の町である。山の手にある病院とは全く方向が違う。

「で、そのおばあちゃんどうなさったのですか」

「目の前に信用金庫があったので、そこで今までのいきさつを話したら『おばあちゃん、タクシーで行かれたら？　呼んであげるから』と、親切にしてくれたそうな」

そういうわけで自分が病院まで乗せてきたのだと言った。

「六〇〇〇円ほどかかったちゃ。バス乗り場ではもう一つあとから入ってくるバスに乗らんなんがやった（乗らなければならないのだった）」

「へェー」と私。

「それにしてもなかなか降りて来られんかった。タクシー代払うのにもたもたとどれだけ時間かかっているがけ」

「お年寄りはお札を入れている財布と、小銭の財布をゆっくり手提袋から出して、支払いをすませたらまたそれぞれの元の場所にゆっくり収め、最後に忘れ物がないか辺りを見回して降りられるのですちゃ。早くしてくださいとも言えず、黙って待っているんです」

「ふーん」

そのおばあちゃんがおっとりと優しい人に思えてきた。私は今八十四歳、自分もこのおばあちゃんのようにうっかりしないよう、シャキッとしなくてはと思った。

そういえば病院では年寄りが多かった。長く生きていると体のあちこちに不具合が生じるのもいたし方のないことか。だけど頭脳だけは普段からピカピカに磨いておかないと、自分一人で気を引き締めていた。

（平成三十年一月）

大雪には参った

昨年の十二月後半から、北陸の日本海側は近年にない大雪となった。シベリアから寒気団がやってきて、去った後、また次の寒気団がこれでもか、これでもかと南下してきた。ニュースでは国道に雪が積もり、約一五〇〇台の車が動けなくなったと報じていた。ＪＲも止まった。新幹線だけは、雪対策が講じられているようで、どうやら動いていた。

雪が降ると困る私。自宅から会社まで五分の距離しかないが八十五歳の私は毎朝出勤をしている。住んでいるマンションの前と、その隣の宅の前は雪が降るとそれを感知して自動的に融雪の水が出るようになっている。そこはいいのだが、その後交差点までの道は人一人しか通れない幅の一本の雪道だ。後ろから来る人がもどかしい思いをしていないかと、時々振り返りながら杖をつき、やっとの思いで歩を進める。杖がごぼっ、ごぼっと新雪の中に沈む。

交差点内の横断歩道は通行する車が雪を踏み固め、圧縮されてつるつるにすべりやすくなっている。頼りにしている杖自体がすべるのでかえって危ない。八十八歳の夫は雪道を自力で歩いている。えらいなあ。子どものころから雪国に育っているので、たくさんの積雪は平気なのだが、すべるのだけは苦手だ。若い人はさっさと歩く。どうしてすべらないのだろうか。「すべる、すべる」と恐る恐る歩くからなおさらすべるのかもしれない。奥の手としてブリジストンの会社から売り出した靴を一足持っている。それを履くと「私はすべらない」という自信みたいものが出てくるから不思議だ。

また、交差点の入り口と出口には、除雪した雪が小高く積まれ、八十五歳の私は大げさな言い方であるが、山登りをしなくてはならない。足がよろける。その積まれた山で一度転んだことがある。偶然通りかかった中学生ぐらいの小柄な女の子が「大丈夫ですか」とやさしく声をかけてくれた。そして、私が立ち上がろうとするのを、手を貸そうかどうしようかと手を出したり、引っ込めたりしてくれている。自力で立ち上がったのを見届けてから「お気をつけて」と立ち去って行った。

ある朝、息子から電話がかかった。

「八時〇〇分に迎えに行くから」

降雪が続くので、息子と嫁がかわるがわる、朝迎えに来たり、夕方送ってくれたりするようになった。車での送迎は積み上がった雪でかえって危ない。息子はカチカチに固まったデコボコの道をごつい長靴を履き、スコップ持参で送り迎えしてくれる。プラスチックのスコップでは、固い雪はラチがあかず、金属製のスコップ持参だ。すべりやすいところは私の手を持ってくれる。つかまりながら男性の力強さに安心して歩く。横断歩道の白線はすべりやすいので脇を歩く。

嫁は「雪の上を歩くの大好き」と言いながら、私が家に入るのを見届けて帰って行った。ある晴れた日、近くの美容院へ行ってきた。その帰り、交差点入口に積み上がって坂になっていた雪がなく、アスファルトが顔を出している。おや？　ここには固い雪が積み上がっていたはずなのに。息子に、

「交差点の雪よけてくれた？」と聞いたら、「うん」と言った。母親のために除雪をしてくれたことがすごく嬉しかった。また、そのことが大勢の人のためにもなる。善行をやってくれた。

嫁は野菜や魚などを買って、自宅まで運んでくれる。雨も降らず、雪のない季節には買物用のカートを使用するが、冬は出番がない。

寒気が身に凍みる毎日は、外出するのもおっくうになる。体の血流も悪くなり、骨粗

しょう症の私はひざが硬直した。老人にきびしい寒さは毒だ。気分が晴れない。もう人生も終わりに近いのかな、と思う。少し若い人からも、「毎日の除雪で腰が痛くなった」などの声も聞く。

今年は立春を過ぎてもなかなか寒気が去らない。この調子で夏も涼しくなればいいのになあ、と思うけれどそうはゆかないであろう。過ごしにくい地球になってきた。

ひと冬、親孝行をしてくれた息子に、私用に買ってある勝沼のワインをプレゼントしようと思っている。

（平成三十年二月）

極上を味わう

今年は何十年ぶりかの豪雪だったが、それも少し落ち着いた二月二十三日、久し振りに夫と旅に出た。山梨、静岡方面だ。

北陸新幹線東京行き、はくたかのグランクラスに乗る。添乗員がくれた切符は、片道二万五五八〇円となっている。何とぜいたくな旅だろう。座席は横三席でゆったりしている。乗るとすぐに、

「お弁当はどちらになさいますか」

と、乗務員が和と洋の弁当の写真を見せにきた。

「あら、家で朝食をすませてきたので結構です」

夫と私は思わず顔を見合わせた。馬鹿だねえ。出発前の慌しい時間に朝食の準備をし、あと片づけまでしてきたのに朝食が出るなんて知らなかった。サービスがよく、ジュースやコーヒーも持ってきてくれた。コーヒーにはチョコレートケーキがついていた。用事が

あれば手元のスイッチを押すと、サービス乗務員がとんでくる。希望すればビール、ワインもある。至れり尽くせりだ。客は少なく静かだ。各新聞はデッキに備えつけてある。知らない夫は、わざわざ富山駅で新聞を買って入った。夫は苦笑いする。

しかし車輌は窓が小さく、天井も低め、何か圧迫感があり少し不満だ。牢屋に入れられた気分だ。グランクラスは庶民である自分には似合わない。三時間足らずで東京駅に着いた。

東京から貸し切りバスに乗る。このツアーは、福井県から三名、富山県から六名の小人数のツアーで、バスの座席は二席分を一人で使用した。

山梨県、大月駅にはかわいい電車が停まっていた。車輌が赤と白で塗られ、赤の部分は白抜きで星形の模様だ。気に入って思わずカメラに納めた。私たちは、富士山ビュー特急に乗った。富士山に一番近い鉄道といわれ、富士山を見るための列車である。富士山駅では標高が八〇九メートルもあるという。だが今日は曇っていて姿を見せてくれなかった。残念！

その日は、河口湖温泉、富士ビューホテルに宿泊した。部屋からは真正面に、頂の部分が少し姿を現してきた富士山が見える。ホテルは静かだし、従業員は皆やさしく親切だ。

お風呂に行くにも食事処に行くにも手頃な距離であり、三万坪あるという庭園は立派だった。

次の日、ホテルをゆっくり九時に出発し、見事に姿を現した富士山を見ながらバスは走った。富士山世界遺産センターと、伊豆の三嶋大社に参拝ののち、旧沼津御用邸に向かった。

杉林に囲まれた御用邸は、明治二十六年に大正天皇が皇太子時代、ご静養のために造営されたといわれる。木造平屋建て和風建築で菊の御紋が入ったかわらが載っていた。中に入ると謁見の間など広い和室がいくつもあり、当時使われていた家具や白熱電球なども残されていて、昔を思い浮かべた。地元のボランティアガイドが、並行して並ぶ畳の廊下の説明をしてくれた。

「外側はお仕えする人、内側は皇族の方のみが御通りになった廊下です」

そして、

「昭和四十四年に廃止されるまで多くの皇族の方々がご利用されました」

とつけ加えた。図面の中に「防空壕跡」が記してあり、今上天皇は疎開生活もなさった由である。

沼津周辺は気候もよく、駿河湾の魚介類や富士山麓の地野菜など、食材が豊富とのことだ。

外に出て御用邸の横に回ると、海からの潮騒が聞こえ、風が結構強かった。邸の前の松林ではお茶席が設けられていた。夫はにこにこ顔で、「お茶を飲もうか」と言った。

「風が強いので売店までお持ちします」

と言われ、売店で腰掛けて待った。この売店はお土産ばかりでなく、休憩所にもなっている。私は皇后陛下のお印、白樺をしじゅうしたひざ掛けを買った。夫も何か買っている。

「何買われた？」

「僕は菊の御紋の干菓子を買った」

と言って、小さな箱を見せた。その夜は伊東温泉、川奈ホテルに宿泊。

三日目、日本一早咲きだといわれる、河津桜を見に行った。日曜日ということもあり、桜まつりでごった返していた。花は五分咲きというところだ。

八十代も半ばを過ぎると、あっちもこっちもと欲張らず、ゆったりしたコースがいい。そして、ホテルは洋室で極上がいい。食事はおいしいものが少しずつ目の前に運ばれてくるのがいい。バイキングは苦手だ。ぜいたくかなあ。

今回のツアーは「富士山と河津桜」が目的だったが、もちろん雄大な富士もよかったけれど、私にとっては沼津御用邸と、ゆったり過ごせた上質のホテルが印象的だった。
こんなツアーがあったら、また連れて行ってほしいと心密かに思っている。

（平成三十年二月）

日々健闘で人は育つ

ある病院グループで発行している会報がある。A四で十二ページの、カラー写真をふんだんに載せたものだ。会報の名は『ほほえみ』。理事長の巻頭言から始まって、医師の健康に関する話や、看護師や介護福祉士が学会に参加した報告、院内で行なわれた行事の様子など、堅苦しくなく楽しい内容になっている。

この病院は、ほかにも有料老人ホームや、ホーム併設の介護老人保健施設など、病気を治療するばかりでなく、高齢者向けにいろいろな分野で活躍しているようである。

夫と私宛にいつとはなしに郵送されてくるようになったこの『ほほえみ』は、いつもはサッと目を通すだけだが、先号のある記事がふっと目にとまった。

それは、看護師長代理に着任したけれど、自分にはそのような重責は務まるのだろうかと悶々としていた。ところがある人から、

「成長してえらくなったから、その役を与えられたのではない。その役を与えられること

によって自分が育っていくんだ」と言われた。という記事。なるほど、その仕事に一生懸命取り組み、日々健闘することによって人は成長していくのだ。

それは看護師に限ったことではないと思う。ある役者が、「むずかしい役柄を与えられると刺激になり、どういう風に演じようかと心が燃えてくる」と言っていたのを思い出した。自分にも思い当たる節がある。

世間のことなど何も知らない箱入り娘（？）として大切に育てられてきた自分が、昭和三十一年に結婚をした。夫は合成樹脂販売の、従業員一人しかいない小さな企業を興したばかりだった。松下電工㈱の代理店である。夫は持ち前の手腕を発揮して、商売を次第に大きくしていった。

さて自分はというと親からは、いけばな、茶道、裁縫など、いわゆる花嫁修業しかやらされていない。事務を任された私は、企業に必要な商業簿記など何も知らない。今までやってきたことは何だったのか。さあ、机の上での仕事が始まった。計算機もテレビもない時代、帳簿は手書き、計算はそろばんである。

ＮＨＫの簿記のテキストを買ってきた。ラジオの教育放送に耳を傾け、テキストをにらみ必死に勉強が始まる。一日中事務所に一人座り、受発注や仕入れ、売り上げの伝票、諸経費関係のことなどをし、また月に一度は事務所隅に積み上げてある商品の棚卸しもやらねばならなかった。商品はプラスチック原料が十キログラム入った段ボールのケースだった。幸い自分は性格的には几帳面だったことがプラスになったと今思っている。

夫は新潟県、長野方面へ新規販路開拓のために奔走し、留守がちだった。得意先からの集金は、現代（いま）のように郵送や銀行振り込みではなく、夫や一人いる従業員が国鉄利用でいちいち集金にまわった。今思うと気が遠くなる話だ。夫からは仕事のノウハウについて、よくよく叩き込まれた。叱られるのは仕事に関することのみである。私は家事は手抜きで仕事に没頭した。その頃、電気釜が爆発的に普及し始め、夫は真っ先に買ってくれた。便利なものは極力利用をし、その分は仕事に打ち込めるようにとの配慮だったのかも知れない。仕事に従事して六十年経つ。私は今、八十五歳になった。

家の嫁さんも会社の仕事のことなど何も知らないで、我が家の一員となった。最初はま

ごまごしていたが、本人にはいろんなことを知ろうという意欲があった。わからないことは何でも私に質問をしてきた。結婚して十年も経った頃、実家の母親に、

「あんた、たくましくなったね」

と言われるまでになった。

人間は、その役を与えられれば必死に学び、努力をし、いつかは与えられた役に自信がついてくるものだ。そして学ぶこと、自分という人間を高めることに終わりはないと思う。

読ませてもらった『ほほえみ』には、胃にやさしい春キャベツのレシピのあるのもうれしかった。


（平成三十年四月）

母の悲しみ

日曜のある日、ベルリンフィルのＣＤを聴きながら、動きのにぶい体をかろうじて動かし、リビングの掃除をしていた。

そのときスマホのベルが鳴った。茅ヶ崎に住んでいる甥からである。先ず写真が送られてきた。二階建てのくすんだ白の四角い建物がポツンと建ち、まわりに木が数本、辺り一面が芝生になっている。これは何だろうと眺めていたら着信のメールが説明をしてきた。

「若くして亡くなったご長兄が療養されていた茅ヶ崎、旧南湖院の病舎を見に行ってきました」

とある。小ぢんまりとした建物が青い空にひときわ白く、昔をしのぶように印象的に見える。

「母が生きていてこの写真を見たらどう思うでしょうか。きっと涙をぽろぽろ流したことと思います」

と返信をした。

　彼は建物が現存していることを知らず、市の広報で、「希少な明治期の結核療養施設の病舎が、国登録有形文化財に指定された」とあり、びっくりしてすぐに行ってきたとのことである。

「自転車で十分ほどの距離だった」

と彼は言った。大正期には広い敷地内に同じ建物が十一棟あったが、取り壊されて、一棟だけ残っているという。三年前の二〇一五年に持ち主が市に寄贈した。彼の話によると、内部に入ることはできず、外観だけ眺めてきたそうである。

　当時は東洋一の結核サナトリゥムとうたわれ、敷地は五万坪もあったとか。国木田独歩や、勝海舟夫人など著名人も、そこで療養をしたとのことだ。今は、『南湖院記念、太陽の郷庭園(さと)』として開放されているようである、などと甥がことこまかく報告をしてくれた。「二、三百メートル先は海岸で空気のきれいなところだよ」ともつけ加えた。

富山県井波町に住みながら、この茅ヶ崎まで新幹線もない昭和初期に、どうやって病弱の兄をここまで連れてきたのだろうか。父のあとを継ぐべき大事な長男を十八歳まで育て、亡くした両親の悲しみを思うと、目頭が熱くなる。日に日に痩せ衰えていく兄を自宅に戻し、昭和十二年に亡くなった、と母の記録にある。私は四歳だった。母が泣きながら、息を引き取ったばかりの兄の足の爪を切っていたのを、おぼろげに覚えている。母は後日、「息を引き取ったばかりの足は、まだかすかに温もりがあった」と言っていた。

私は、兄の顔はよく覚えていないが、目がほっそりとして、優しい顔だったように思う。祖父が月見の間として三階に四畳半の部屋を一間(ひとま)作った。そこが一時期、兄の部屋になっていた。まだ病気にならないとき、大きな缶からマッチ箱をいっぱい取り出し、私に見せてくれた。マッチ箱に張ってある、いろいろなレッテルが面白く、集めていたようだ。唯一、兄の記憶はそんなことしかない。

母の記録によれば、

「主人も私も生きる気力を失い、床に就いた」また、

「谷底に突き落されし如く人世に希望を失い、ただ悲しみに毎日を送るのみ」とある。

母はその前にも三人の男の子を幼くして亡くしている。今は治る病気でも、そのころは簡単に幼い子の命が奪われていたのだろう。自分はどうしてこうも子どもに不運なのかと嘆いている。長男を亡くしたのは、母が三十六歳のときだったとか。

後日、甥からプリントされたスナップ写真が郵送されてきた。スマホで見たときは立派な建物に見えたが、木造の建物の白いペンキがところどころはがれ落ち、明治から昭和のはじめという歴史を感じる。北側に突き出た玄関の、開き戸も結核の療養所らしく、あまり明るくない、むしろ陰気くささが見える。

兄が亡くなったとき、私の弟はまだ二歳である。その弟が高校三年になり、修学旅行は箱根、鎌倉、江の島方面だった。出発のときに詠んだ母の歌、

写真機を　肩にし勇み　旅立ちし
吾子の姿　よくも成人せし

亡き兄の　かつて入院せし　南湖の地に
　今日旅立たせ　つのる思いを

八十年も前、昔むかしのことである。
敷地の一部に『太陽の郷（さと）』という巨大な老人ホームが
建っているとか――。

（平成三十年六月）

嫁のひとり旅

孫は札幌に住んでいる。誕生日は七月七日、七夕の日に生まれた。今年、北海道大学に入学をし学生寮に入った。食事付きであるが部屋はベッド一つ、机一つのせまい部屋らしい。春に日大で話題になった、アメフトに入部したとのことである。ケガをしなければいいのだけれど、と老婆の私は心配している。

四月に入学して以来、親は北海道に行っていない。もちろん、電話やメールでのやり取りはしているようだ。彼の誕生日は土曜日である。以前から嫁は、土、日、月の予定で息子に会いに行きがてら、遊びに行くことに決めていた。富山空港から直行便が一日一便出ているが、時間的に中途半端な遅い出発なので時間が無駄だと、朝七時十分に発ち、羽田経由で行くことに予定を組んでいた。

ところが出発する数日前に、

「アメフトで右手の指をケガした。近所の医者では手術をした方がいいと言っている。しかも全身麻酔で」

と孫から母親に連絡が入った。

「えーっ、誕生日目当てに行くことにしていたのに。でもうまい具合い日程が重なってよかった」

と嫁は暗い顔もしていない。近所の整形外科に相談をしたりしている。結局、大学付属病院で診てもらうことに。夫と私はそれなら安心だと納得した。

　私は誕生祝いとケガのお見舞い、そして手紙を言付けた。手紙には、

「指のケガをして、あれも不便、これも不便とグチ不満を言っていると、治りも遅いよ。指は使えなくても歩くことはできるのだし、人と会話もできる。テレビは見られるし読書もできる。できることの方が多いのだから幸せだと思っていると、治りも早いよ」と書いた。

　折悪しくここ数日、西日本を中心に各地で数十年に一度の記録的な豪雨、河川氾濫、土砂崩れが多発し、お気の毒に思うと同時に、こちらも欠航にならないかと心配した。

「天の川も洪水でしょうか」

と孫にメールを発信。

嫁は、私たちがいつも旅行に持って行くスーツケースを借りて、いそいそと出掛けたらしい。案の定、乗ろうとした第一便は欠航となった。「九時四十分の二便が取れた」とメールがあった。私たち夫婦は、マンションの六階に住んでいる。八分ほど遅れて飛び立っていく音がしたので窓から眺めた。

「ああ、あれに乗っているのだな。大事な嫁が乗っているのだ。無事でありますように」

しばらくしてメールが届いた。

「無事羽田に着いた。天気はまあまあ。直行便と変らぬ札幌到着になるけれど、飛行機は一回多く乗れるし、久し振りに羽田に来て、何しとっても新鮮でワクワク。嬉しくて楽しいでーす」。

普段は会社の仕事、二人の息子のこと、私たち老夫婦への気遣いなどでめいっぱいなのだ。籠から放たれた鳥が、何もかも忘れて自由自在に飛び回っている。「よかった、よかった」と私は思った。

ぷっつりメールが途絶えた。移動中か息子に会っているのか——。

夜、留守をしている私の息子と下の孫とに、夕食の差し入れを少しばかり持って行った。ところが何と！　肉屋からヒレカツやハムフライ、コロッケの類が、ワンサと買って食卓に置いてある。こんなにいっぱい何回分なのだろうと、びっくり仰天した。

「僕たち、食事は何とかして食べるから、お母さん心配しなくていいよ」と息子が言った。

次の日嫁から、「小樽に向かってまーす」。写真が送られてきた。生うに、えび、いくらなどがご飯の上にたっぷりのっかっている。

「すごくおいしかった」。夫に写真を見せたら「海鮮丼だよ」と言った。私はメールが来る度に夫に見せている。

「マッサンの舞台の余市にも行ってきた。ニッカーウイスキーいいとこだった」

孫のことは何も言ってこない。結局、アメフト部の練習を抜けられなかったようだ。ケガをしていても、それなりの体の鍛え方があるらしい。きびしいなあ。孫との夕食はジンギスカンでなく、「牛肉が食べたい」と言ったそうな。

三日目、今日は大学付属病院に行っているはずだ。どうなったであろうか。夜、最終便が降りてくる音がした。程なく、

「無事着陸しました」

「わぁーい、お帰りィ。墜落しなくてよかったね」

「まだまだこの世におらんなん（いなきゃならない）からね。ありがとう！　楽しすぎた三日間でした。明日からまた頑張って働きまーす」

「今夜はゆっくりお休み。いい子、いい子」

孫の指は手術しなくていいことになった。よかった、本当によかった。

北海道大学の構内はポプラ並木が延々と続き、なかなか校舎にたどり着けないので、孫は自転車で走るそうだ。スマホの写真を見せてもらったら、嫁がポプラ並木の下で両手を広げ、北海道の空気をいっぱい吸って立っていた。


（平成三十年七月）

魔法の言葉

「言葉には魂が宿っている」

何かの本にそう書いてあったのを読んだことがある。自分がいつも言っている言葉は、その通り現実のものになっていくそうだ。例えば「ありがとう」「自分はツイテいる」「私は幸せだ」などプラスの言葉をたくさん言う。プラスのイメージで毎日を楽しく過ごす。言葉の魂は、「そんなに感謝してくれるのなら、明日もよい方向に頑張ろう」と思ってくれる。

マイナスの言葉、「イヤだなあ」「あの人のせいでこういう風になった」「自分はツイテない。不運だ」と言っていると、それを聞いている相手もイヤな気持ちになって人は離れていくとのことだ。そうか、そんなものなのか。私は大いに合点する。

私はいけばなをやっている。いけばなそのものは楽しいのだが、華道展出瓶となると気が重くなる。動きがにぶくなった体、水を運んだり重い花器を持ち上げたりなど出来なくなった。それに生けることに決めた枝ものや花は、生花店がちゃんと準備してくれるのだろうか、「なかった」と言われた場合、「じゃどうする」考えるとつい、ゆううつな気分になる。グチをこぼし、マイナスの言葉を口にしてしまう。

「何とかなるさ」「ありがとう」「しおれやすいものは、しっかり水揚げをして頑張らなくてはどうする」と思いなおす。「ありがとう」を繰りかえして言う。「ありがとう」は魔法の言葉で物凄い力があるらしい。

　生ける前日に生花店の人が頼んでいたカエデを二種類持ってきて、

「これとこれと、どっちになさいますか」と相談に来た。

「ご親切にありがとう。こちらの方をいただきます」。ああ、何と幸せなんだろう。

また弟子が園芸店でユリを二鉢買ってきてくれた。

「このユリしおらしく、自然界に咲いているような風情だったので、先生の籠生けにどうかと思いまして」

　ありがとう、ありがとう、皆さん優しい。何と私は幸せでついているのだろうと思う。

「ありがとう」の言葉のおかげかしらん。

　また、猛暑日がつづく七月、気温は富山でも観測史上、最高を記録したその最中（さなか）、県の主催で大伴家持生誕一三〇〇年、越中万葉展が開催された。家持は越中守を五年間つとめている。家持をテーマとした文学作品、絵画、書、彫刻、いけばなを一堂に展示する企画だ。期間は八日間。何も真夏に開催しなくても、秋とか季節のいいときにやってほしいと思う。殊にいけばなは生命ある植物が相手だ。いくら好きな道とはいえ、熱中症が多発するこの時節に……と思う。

　ところが生け込み当日に見たものは、作品に取り組む先生方の熱意ある姿、真剣なまなざしであった。一つのことに集中する皆さんの姿を目のあたりにして、とても尊いものを感じた。

　ところが、ところがである。オープンしてみると入場者が極端に少ない。初日の午前だけはテープカットなどのセレモニーがあったので、お偉方がたくさんいたけれど。入場無料ということもあり、出品者が入場券を知人たちにばらまくわけでもない。そもそも、このような催しがあることさえ知らない人が多い。実にいい企画であるのに県のＰＲ不足だった。

　次第にいけばな出品者たちが、ブツブツとグチを言い出した。

「今日も閑古鳥やわ」

「こんなに一生懸命やっているのに」

絵画や工芸作品は飾りっぱなしでいい。だがいけばなの方は毎朝しおれた花を取り替え、にごった水も新しく交換する。この猛暑のなか、朝八時に日参だ。幸い会場内は強い冷房が入っていたのが嬉しかった。こんなことを書いている筆者も、だんだんグチっぽくなってきた。これではいかん！

「入場者はまばら、プン！　プン！」

はやめよう。一人でも二人でも見に来てくれる人には感謝することにしよう。不平不満を言うと「ありがとう」が消えていくものらしい。「いい企画だね」と、いいところを見よう。プラスの考え方をすれば、細胞も活性化するだろう。

ある人が暑いのに足を運んでくれ、

「いつもの華道展は混雑しているので落ち着いて見られないけれど、今日は静かにゆっくり鑑賞できた」と、にこやかに言った。そういういいこともあるのだと、私の心は少し鎮まった。

ゆううつな顔より笑顔の方がいいに決まっている。同じ志を持つ人たちと毎日顔を合わせ、結構楽しんだのではなかったのか？

「ありがとう」「ありがとう」と言いたい。言葉には、魂が宿っているからね！

（平成三十年七月）

母はよく働いた

七十年あまりも前、私がまだ娘時代のことだ。自分は老いてその思い出もはるか彼方に消え去ろうとしている。

昔の主婦は大変だった。か細いけれど芯がしっかりしていた母がやってきたことである。何人もいる子どもを育てながら、正月から始まって暮れまで、よくぞこれだけのことをこなしてきたものだと思う。

先ず暮れの主婦にはもちつきがあった。朝三時に起き、もち米をせいろうで蒸す。燃料はへっついのたきぎである。蒸せたころに、娘の私は眠い目をこすって起きてくる。戸前にむしろがもう敷いてあり、家族総出でもちつきが始まる。陣頭指揮は姉さんかぶりをした母である。おかがみは神棚、床の間、蔵の中、呉服の商いをしていたので店の帳場にもと、毎年決まった数を作り、のしもちも何枚か、そして最後の一うすは、小豆あんをまぶしたぼたもちにした。昔は実にもちをたくさん食べた。

「みんなでついたもちおいしいねえ」

と言いながら食した。

正月用の煮染め、黒豆、おすわい（酢あえ）なども作らねばならない。現代のようにお重に美しく飾り盛ったおせちなど、どこにも売っていない。すべて手作りである。

それから、雪の北陸が生んだ逸品にかぶら寿司がある。暮れに漬け込んで、正月に初めて取り出した。厚く切ったかぶらに切り目を入れ、塩漬けしたのち、かぶらにぶりや塩さばをはさむ。床はこうじで漬ける。それぞれの家庭によって違うが、我が家ではこうじに温かいご飯をまぜ、酒を少しふりかけ布にくるんでこたつの中に入れておく。すると甘酒ができるので、それで漬けていた。べたっとしたのが嫌いな家庭は、こうじとご飯をまぜただけのものを使用した。その年により出来不出来がある。母は、

「今年はおいしいのになった」

「ちょっと不出来だった」

とか言いながら取り出していた。

母が一生懸命台所仕事をしていると、父が、「そんなことしてないで年末の売り出しで忙しいのだから、店へ出っしゃい（出なさい）」と言いに来る。私は子ども心に、

「母はあっちもこっちも大変だな。何か手伝ってあげたいけれど、私にはやり方がわからない」

と思っていた。

年暮れにいつもやらされる手伝いに、仏具磨きがあった。つやは出ても、黒ずんだ汚れは残った。キュッキュッとこするあの仕事は辛気臭くてイヤだった。

「もう終わりにする」

と私はかたづけた。

春祭りと七月の太子伝会の前だったか、天気のいい日、大掃除を家族でやった。家族といっても自分は子どもだったので、ほとんど父と母や、お手伝いの人でやっていた。家中の畳を外に出し、棒でほこりをたたき出す。立て掛けて日に当てておく。

土用の暑く晴れた日、背戸にすのこを広げ、姉と二人で梅干しにする梅を並べて干す仕事があった。二人は裸になり、

「暑い、暑い」

と言いながらぬれたタオルを背中に当てて、梅を並べた。子どものころの最高気温は、三十二度ぐらいだったが、それでも暑かった。

秋にはみそを作った。こうじやから大量の大豆を煮るための、ブリキかトタン製か知らないがかまどを借りてきて、ミソマメをグツグツと煮る。大豆のことを「ミソマメ」とも言った。煮えたミソマメは、これも借りてきた豆ひき機のハンドルを回すと、どろどろにつぶれたマメが穴からニョロニョロ出てくる。

「おもしろい」

と言って眺めていた。たくさんつまみ食いをし、おなかをこわしたことがあった。柔らかくつぶれたマメに塩とこうじを混ぜ、背戸の隅にあるみそ倉の大たるに、バケツで何回も行ったり来たりして運ぶのである。イヤー、大仕事だ。今は電話をすればすぐ配達してくれるし、スーパーにも売っている。

漬け物もひと冬かかって食べる分を漬けていた。我が家には、住み込みの男性店員もいたので食事は大所帯だった。

洗濯機も冷蔵庫もない時代である。水は井戸水、ポンプの柄をギーゴ、ギーゴと上下に動かし、水を汲む。お風呂の水張りが大変だった。今は蛇口をひねれば「あっ」という間に湯船にいっぱいになる。お手伝いの人は、台所のポンプから湯船までトタンの筒を渡し、「見よ、東海の空開けて、旭日高く輝けば……」

と歌いながら、ポンプをギーゴ、ギーゴと動かしていた。のんびりした時代だった。

そんなこんなで昔の主婦は並々ならぬことを当たり前の如くにやってきた。切り盛りしていた主婦たちは、ほとんど鬼籍に入っている。ご苦労さまでした。

自分は便利な世の中に生きて、ラクをさせてもらっている。こんな昔のことを書きながら、八十五歳となった。ラクをしている分、足腰が弱くなり、それに耳も遠くなった。

母上さま、「ありがとう。感謝、感謝」である。


（平成三十年八月）

★　太子伝会について

富山県井波町の浄土真宗大谷派、井波別院、瑞泉寺で、七月二十一日から一週間、寺宝の虫干しを兼ねて、聖徳太子の絵解き説教が行なわれる。大勢のお参りがある。

朝の時間が足りない

「おはよう」

五時二十分、小さな電子音と同時に、二人ともお目覚めだ。私は八十五歳だが、仕事があってもなくても習慣として、自営の会社に出勤している。朝、会社へ出掛けるまでのお決まりのやることはこうなのだ。

起きてすぐ洗面所で口をゆすぐ。洗濯機をスイッチオンし、それから植物酵素を薄めて三十ccのどに流し込む。夫の分も用意しておくのは当然だ。電気釜のスイッチを入れたら、顔を洗って保湿液、クリームを塗ってから、前日の洗濯物を畳む。五時五十五分、NHKBSの「世界の名曲」を五分間、外国の映像とともに楽しんだあと、六時のニュースに切り替えておく。そろそろ夫が
「ただいま」

と言って散歩から帰って来る時間だ。

ベッドにあお向けになり血圧計とにらめっこ。上が一三〇のときは、降圧剤は飲まない。大抵は一四〇台だ。ベッドの上で軽い体操をしていると「ああ、洗濯機がピーピーとなった」。

洗濯物を干して六時二十五分、テレビ体操が始まった。二人並んで動かしにくい体をムリヤリ動かす。

「きょうもお元気にお過ごしください」

のテレビからの声を聞き、

「はい、元気にお過ごしになります」

と返事をしてから、朝食の支度に。夫は夫で、黙々と手振り運動をやったり、電気かみそりを顔に当てたりして、お決まりのコースに励んでいる。

二十五分間でお茶わんを並べたり、味噌汁を作り、小皿一品、昨晩の煮物を鉢に盛って、納豆、ヨーグルトをセット。あれも作りたいと思うけれど時間が足りない。次回の食卓にしよう。ああ忙しい。あと五分だ。七時のニュースと同時に、夫に声を掛ける。

「ご飯でーす」

食事はさっとすませる。ろくにかんでもいないらしい。後片付けをしたら、

「お薬でーす」

と、また夫に声を掛ける。朝、自分の飲む薬は四~五種類。医者からもらう薬ばかりでは、副作用の心配もあるので、サプリメントやビタミン剤を一、二種類取り入れて、四、五種類としている。血液さらさらの薬、降圧剤、ビタミンEとかBとか、骨を強くするサプリメント、血栓を解かす赤ミミズの粉末サプリメント、耳鳴りをなくするハチの子など、その日の気分によって選ぶ。

それが終わったら歯を磨き、鏡台の前に。さっき、お肌に栄養を与えてあるので、すぐ化粧をし、こじきのような服を脱ぎ捨てる。アクセサリーは、昨夜のうちに選んである。

ああ、朝ドラがはじまった。最近の朝ドラは見ていないけれど、今回のは面白そうなので、何もかもほうり出してテレビの前に鎮座だ。ドラマは“まんぷく”。夫は朝ドラを見たら
「行って来ます」

と言って会社に行ってしまう。そのあと私は、新聞に目を通す。さっとである。本当にさっとだ。一面は見出しとコラム。コラムの文はうまい。おくやみ欄は必ず見る。火の用心、戸締まりをして、

「さあ、行こう」、となる。以上が私の朝のコースだ。

ところが最近、動作がモタモタしてきた。テキパキできない。その上、前の晩にし残したことがあると、うっかりそれに手を出す。今月下旬に二泊三日の旅行をする予定だ。昨夜、おみやげ宅配便のカタログに目を通し、あれにしようか、この人にはこれにしようか、相手の好みや、値段の関係もあるし、迷ってなかなか決まらないまま、寝てしまった。そのつづきの仕事（？）に、うっかり手を出した。

また夜見ていた雑誌に、冷えが進む秋の体づくりにいいレシピが出ていた。乾燥から体の潤いを奪われないために、れんこんがいいとか、山芋のネバネバの「ムチン」と呼ばれる成分は、胃の粘膜を保護してくれるからオススメだとか、作ってみようかと、そのページを切り抜いたり、秒刻みの朝に飛び入りのことをやってしまったので、さあ大変！何もかも狂ってしまった。世界の名曲は終わってしまっているし、体操をする時間や、干し物を畳む時間もなくなった。カット、カットである。投げやりの朝食の支度がはじまる。

「えっ、もう朝ドラが……。これはガッチリ見なくては」

そういうわけで、今朝は運動をやっていない。健康維持に大切なのは、“食事、睡眠、運動”だ。私に足りないものは運動なのだが、どうしても運動にしわ寄せがきてしまう。

もう十分早起きするか。そうしたら夫も一緒に起こしてしまうことになるし……。
結論は道草をしないことだ。その朝の忙しい時間があるから、一日頭脳も働き、健康なのかも知れない。

（平成三十年十月）

満足した東北旅行

北陸と東北方面の交流を促進しようと、二年前から金沢、仙台間を乗り換えなしの北陸新幹線が走っている。春と秋に一回ずつ、全車観光客を乗せての臨時列車だ。

「行こうか」

と夫が言った。あいにく十月二十一日日曜日は、富山国際会議場ホールでの「カナディアン・ブラス」の切符を購入済みであったが、旅行に行くことにした。

コースは山形蔵王方面、或いは宮城の気仙沼、鳴子峡方面などがあったが、私たちは中尊寺や、秋田の抱返(だきがえり)渓谷、田沢湖、それと岩手の花巻温泉に行くコースを選んだ。

富山から十二号車に乗り込むと、偶然にも夫の甥夫婦が同じツアーに参加していた。添乗員が、

「ご親戚ですか」

と聞いてきた。

「私の甥なんですが、話し合って参加したわけじゃないんですよ」

「バスの座席はもう組んでしまっています。じゃ、夕食のテーブルはご一緒にしておきますね」

と、添乗員は気を利かせて言った。

仙台駅前では「東北へようこそ」の横断幕で出迎えられ、何か嬉しくなった。富山駅前はどうなんだろうと、思わず心配した。各旅行会社のツアーごとにバスに乗り込み、それぞれの方面へ散って行く。乗り場には、何十台もの車が一度に停められないので、バスに乗り込むのも順番待ちだ。同じツアーの女性が、二つしかないベンチの席をゆずってくれた。「ありがとう」と言って座ったものの、八十九歳の夫の方が座りたいだろうに、と思った。

一日目は中尊寺を見学した。茅ヶ崎に住み、月に一度富山県砺波市の実家に帰る、私の甥からは休日によくメールが入る。

「私はいま、中尊寺にいる」

とメールをしたら、

「アメリカのリーンカーン生家も、中尊寺の金色堂と同じように、元の建物の外をコンクリートの建物で覆ってあります」

と、返信があった。

中尊寺は坂道が多く、足が弱い私は夫の手につかまって歩いた。いつも低体温の夫の手は冷たかった。

「冷たい手ですね」

そう言いながら、老いた夫にいつまでも元気でいてほしいと願った。

その日は、岩手県雫石(しずくいし)町の鶯宿(おうしゅく)温泉に宿泊した。

抱返渓谷へ行くというので、冬支度をして富山を出たら、昨日に続き今日も晴天なり。富山より暖かいのでは……と思っていたら、砺波市に来ている甥が「立山初冠雪」の新聞記事と写真をラインメールしてくれた。紅葉の名所と言われる抱返渓谷は、木々の葉がオレンジ色に色づいたばかりで、ベストにはちょっと早いかなとの感があった。真っ赤な紅葉を想像しながら下りた。川の水が澄んでいた。

田沢湖遊覧は、周囲の山々は低く断崖絶壁ということもなく、円形の湖なので少し平凡かなと思った。しかし、最深部は四二三メートルあり、日本で一番深い湖とのことだ。三十分ほどで下船をし、角館(かくのだて)の武家屋敷を散策した。

「人力車に乗ろうか」

と、夫が言った。

「人力車に乗っていたら、集合時間に間に合わなくなるよ」

そう言って、抹茶のソフトクリームをなめながら、バスの駐車場に向かって歩いた。

「富山の街でこんなことをしたら、人が振り向くよね」

二人で笑った。

お昼のきりたんぽ鍋は、食べたことがなく珍しかった。秋田の名産品ふるさと村では、夫がお徳用の稲庭うどんの袋入りを買っていた。

「そんな重いものを」

「僕が持って帰るから」

夫は食べるものには興味があるらしく、ほかにも「ごぼうかりんとう」や、火でいぶしたたくあん「いぶりがっこ」などの小袋も買っていた。

花巻温泉の宿は、至れり尽くせりの宿だった。今日は沢山歩いたので、夕食までの時間ベッドに転がった。ウトウトしていたら夫が、

「大丈夫か？　お茶を入れたよ」

夫にお茶を入れてもらうなんて、何と幸せなんだろう。

「よし、頑張るぞ！　夕食に赤ワインを飲もうかな」

三日目、宮沢賢治記念館では、ショップで「雨ニモマケズ　風ニモマケズ」の日本手拭を孫二人に買った。嫁が「剣道のときに使わせる」と喜んだ。

帰りは散らばっていた各団体が、一斉に十三時五十二分発の臨時列車に乗車した。

三日間晴天に恵まれ、私にとってはよく歩いた旅であった。夫の冷たい手と、お茶を入れてくれた優しさも印象に残った。


（平成三十年十月）

「痛い、痛い」の連続

肋骨を折った。ご丁寧に二本も折った。

現在私は息子の経営している会社で仕事を手伝っている。夕方、家に帰ろうとして靴を履くときよろめいて、鉄筋の壁の角に背中をイヤというほどぶつけた。

「痛―い！」

大きな悲鳴をあげたら、まだ机で仕事をしていた嫁が、

「どうされました？」

とかけ寄ってきた。痛い背中を我慢しながらノロノロ歩いた。交差点の横断歩道を渡るときも、左右を見る余裕もない。車にひかれても仕方ないか。車は止まってくれるだろうと、勝手に解釈をした。心は痛い背中にしかなかった。

家に帰ってから、すぐ私たち老夫婦の食事の支度をせねばならないのだが、しばらくベッドに横になった。もうすぐ十二月、寒いので毛布ぐらいは足元にかけたかったが、背

中にひびくので毛布を広げることすらできない。

「痛い、痛い」

と言いながら台所に立つ。夫は好きな相撲の番組に余念がない。冷蔵庫の中の食材は乏しい。

「あれ、いいものがある」

嫁が鯛の刺身を買って入れておいたのだ。

菜っ葉類は何もない。痛くて支度する気にもなれないのだから、あとは残りものを出す。夫は文句も言わずに食べてくれた。

明日、近所の整形外科に行ってこよう。午前は混むから、三時ごろに行こうか、と考えた。

朝になると背中の痛いのが八分通り取れ、その代わり胸の右横が動くたびに痛くなっている。午前十一時、予約通り美容院へ行く。椅子に腰掛けているときはいいのだが、シャンプー台に寝たり、立ち上がるときが痛い。筋肉が痛いのか、骨が痛いのかさっぱりわからぬ。

八十代でまだ頑張っている整形の先生は、「肋骨が折れていますね。九番と十番の二本が折れています」

えっ、折れてる？　骨が脆くなっているのだ、と思う。

「折れた肋骨が、胃袋を刺すことはありませんか」

医師は面白いことを言う人だと思ったのか、カルテを記入しながら「クッ、クッ、クッ」と肩をゆらせて笑いながら、

「そんなことはありません」

しかし、別の医師に言わせると肺に刺さることはあるそうだ。

「五日後に高速バスで名古屋へ行くことになっているのですが、行ってもいいでしょうか」

「いやー、やめておいてください。バスの乗り降りは結構段差があって、どうしても掴まる手に力が入りますし」

胸に湿布剤を貼り、バストバンドでしめつけられ、痛み止めの薬を処方されて帰った。

大学生の孫が、アメフトで手の指をケガしたとき、

「右手は使えなくても歩くことはできるし、人と会話もできる。テレビを見ることも読書もできる。できることの方が多いのだから、明るい心でいれば治りも早いよ」

こんな手紙を書いたことを思い出した。人にはそう言えても、いざ自分のこととなるとダメだなあ。

五日後には、名古屋で年に一度の「花の集い」が某ホテルである。K先生のいけ花のデモンストレーションのあと食事を囲む。アトラクションあり、福引きで歓声をあげたり、なごやかなK社中の集いなのだ。キャンセルせざるを得なかった。次の日、嫁に高速バスのキップを払い戻ししてきてもらった。

三日後には高岡市に住む娘と夫と三人で、富山市ガラス美術館に行くことになっていた。私はいけ花教室を持っているが、それも代稽古を依頼した。何もかもキャンセルである。

「イタタ、イタタ」の言葉が続く。トイレのペーパーが左側についているが、ケガをしたときのために右側にもついていれば……と思う。体を少しねじっても胸にひびくのだ。夜ベッドに横になるときと、起き上がるのが一番辛い。「輾転反側（てんてんはんそく）」、つまり寝返りはもっての外である。

バンドをしているので、スカートが留まらない。上下の服が不釣り合いであろうと総ゴムのスカートにはき替えだ。おしゃれ心が遠のく。お風呂に入れないのも困る。

机の上のことは大丈夫なので助かる。幸いなことに苦手な掃除を当分やらなくていい。しゃがめない私のことを考え、会社の従業員が足元の石油ストーブをつけてくれた。孫に言ったように、悲観するのはやめよう。

夫は心の中で同情しているのだろうが、言葉では慰めてくれない。それとなく、食卓の食器などを流し台に運んだりしている。

次に医者に行くのは一週間後である。

（平成三十年十一月）

みんなで笑うと楽しい

名古屋でいけばなの稽古の帰り、遅い昼食に名古屋駅十二階にある某レストランに入った。応対してくれた若い男性従業員が、腰をやや曲げた老婆の私を見て、背中にクッションを当ててくれ、ナイフ、フォークの他に、箸置きと箸を持ってきた。自分は、ナイフ、フォークは使えるけれど、箸は何かと便利なものだ。相手はにこにこしている。とても気持ちのいい顔だ。四人掛けのテーブルに相棒と座った。男性従業員は余った椅子を指して言った。

「荷物をどうぞ」

しばらくして、荷物の上に白布を掛けに来た。

次に彼はメニューを持ってきて、飲み物と料理の注文を聞いた。赤ワインと一番安いランチにしたが、オードブルとメインデッシュは四種類の内から選べる。オードブルで魚を、メインデッシュで肉をとるように考えて注文した。やがて彼は運んできた料理の説明をしたが、相変らずにこにこしていて、思わずこちらもにこにこ顔になってしまう。最近になくいい顔の人に出会った。この笑顔はこの人の宝物だ。

「あなたのその笑顔はいいですねぇ。いいわァー」

と言ってしまった。本当は耳が遠い私には、料理の説明など聞こえていないのだけれど。

私もこんな笑顔になりたい。元気が湧いてくる気分だ。つまり、相手の笑顔がこちらにも移ってきたのである。笑うということは健康にもいいそうだ。病院でも入院患者に笑うことを積極的に取り入れているところがあるという。治癒力にもつながるらしい。以前に何かで読んだが、あまり笑ったことのない人が笑うと、こわばった笑い方になるという。笑う部分の筋肉が退化していくのであろう。

今日、富山でいけばなの新年の会合に出た。今年度の役員改選や行事予定などの会議のあと、おいしい食事をしながら雑談をした。家にばかり閉じこもっていると笑うことも少ない。同じ年頃の先生が話しかけてきた。

「今年もよろしく。頭は回るんだけど、体が回らん」

「アハハハ、私も同じ(おんな)だワ」

寒いからと、家ではむさ苦しい格好をしていても、外出となると少しぐらいはおしゃれをする。晴れ晴れとした気分になる。

お隣に座った先生は九十三歳になるそうだ。見ていると出されたフルコースを残さず全部食された。お見事なものである。だから健康なのだ。自分は「もう歳だから」と言うのはよそう。そして笑顔でいよう。朗らかで運の強い人とつき合い、しかめっつらの人、自己主張強くゆずらない人、そういう人とは遠ざかった方が健康にもいいと考える。

笑っていたら、いいことあるだろう。レストランの従業員のように、笑顔はまわりを和やかにしてくれる。みんなで笑うとなお楽しい。「アハハハ」。

郵便局のＡＴＭで用事をすませ、並んでいた次の人に、

「お待たせしまして」

と、声を掛けた。並んでいた七十歳ぐらいの女性は、にこりともせず素知らぬ顔だった。私はＡＴＭで手間取っていたわけでもない。せめて何らかの表情を見せてくれてもいいのではなかったかと、ふっと思った。その帰り道に久し振りの人と会った。私はにこっとして、

「お元気？」

と、思わず声を掛けた。

「何とか元気でいます。あなたも健康に気をつけてね」

たったこれだけの会話で、相手を思いやる心と、立ち去ったあとに和やかな雰囲気が生まれる。嬉しくなり、さっきの郵便局でのことも消え去った。

今朝のドラマ「まんぷく」は、住んでいた家を失って引っ越す場面だった。主人公夫婦は谷底に落ちても明るく励まし合う。

「出発！　大丈夫、何とかなる」

「これから、もうひと花咲かせてやろう」

このセリフはいいなあと思った。

いいことがあったから笑うのではなく、笑って元気にやっているから、いいことがあるのだと、つくづく思った。人生楽しまなくっちゃ。


（平成三十一年一月）

八十六歳の誕生日

朝、いけばな仲間からローソクを立てたバースデーケーキのスタンプがメールされてきた。そういえば今日二月〇日は私の誕生日だった。え――、八十六歳、めでたいのかなァ？　と思う。

間もなくして孫娘から、

「おばあちゃん、お誕生日おめでとう!!　☆」と、メールが来た。

「ありがとう。でも今勤務中でしょ。駄目よ」と返信したけれど、やっぱり嬉しく、こちらからはピンクのスカートをはいたワン子ちゃんが、お尻を振り振りしているスタンプをスマホで返した。

ほどなく郵便配達の人が来た。行きつけの美容院から、これまた「おめでとう」の手紙である。台紙にポプリの袋が貼ってあり、

「次回にご来店のときにどうぞ」とプレゼント券が入っている。あら、あら、ご丁寧に。

何日か前にうちの嫁さんから、裏起毛のあったかい黒のタイツ三足と、ソックスをもらった。ソックスはくすんだオレンジ色に、白のぼたん雪が降っているようなイメージのかわいいものだ。これもあったかーい。ソックスにキスをした。嫁が笑った。これを履いたら他のものは履けない。

「これは私の誕生日にもらったことにしておくね。だから、誕生日には何もいらないよ」

息子夫婦とは、昼間は自営の会社で一緒だけれど、夜には私たち老夫婦は、マンションの自宅に帰る。嫁が手紙をくれた。

「恥ずかしいから、帰られてから読んでください」

食事の支度をしようと冷蔵庫を開けた。おや？　赤いリボンで結んだケーキの箱が、女王様のように真ん中の空間に納まっている。何もいらないと言ったのに、嫁が入れておいたのだ。リボンをほどくと中に、モンブランや苺、抹茶のケーキが入っている。夫に「どれを食べる？」と聞いた。

「今は食べないけど、モンブランにしようか」

夫はモンブランが好きらしく、ケーキをもらうといつもモンブランをご指名だ。

食事のあと、手紙を開いた。内容はこうだ。「大分腰も曲がり、動きもスローモーになってこられた。肋骨を折ったり、ヒザ、腰が痛くてもクヨクヨせず、へこたれないお母さん。

　好奇心旺盛で、おしゃれをすることを楽しみ、いろんな場へ出向いて人と接し、充実した日々を過ごしておられる。会社へも毎日定刻に出勤されている。自分もお母さんを見習って、『素敵な人生だった』と最後に言えるように精進していきたい」

　これを読んでいい気分に浸っていたら、テレビが北海道地震のニュースを報道した。昨年九月にも地震があったのに、何も私の誕生日でなくても、と思った。北海道には、大事なうちの孫息子がいる。停電になると、スマホの充電ができなくなるので、嫁が代表で安否を問うた。大きく揺れたけど、大丈夫だったらしい。

　次の日、化粧品を購入しているS会社から「特別な日に、心ばかりの品を贈ります」とピンクの小さなカードを添えて、ハンドクリームのチューブを二種類と、今治のタオルとが箱に入って送られてきた。そして、お誕生月にご注文くだされば、ポイントを二倍にさせていただきます、ともある。商魂たくましいと思ったけれど、やっぱり嬉しい。

　その日は美容院の予約の日だった。

「昨日はお手紙ありがとうございました。私の生年月日登録してあったっけ？　でも一つ年を取ったのにめでたいかねぇ」

と言ったら先生が、

「私も以前はそんな風に思っていましたけれど、この年まで健康で、普通に生活させてもらったということは、有難いことだと思うようになりました。周りのいろんな人のことを聞きますと、病気で苦しんでいる方もたくさんいらっしゃいますのに」

と謙虚な返事が返ってきた。なるほど！

プレゼントは、アロエの化粧水だった。

数日後にいけばなの友人から、おしゃれに光るスカーフ留めをもらった。指輪くらいの小さいものだけれど、女って何をもらっても嬉しい。

毎日がバースデーならいいなぁ。あっ、だけど毎日年を取るということか！これはいかん。やっぱり一年に一回にしておこう。

自分は動作がにぶくてゆっくり、ゆっくり。でも、やるべきことはやろう。時間がかかってもいいではないか。年を考えないことにしよう。同級生がたくさん旅立ったが、できるだけねばろう。間違っても寝たきりにはなるな。三度の食事を卒寿を迎える夫とともにおいしく頂けるということは有難いことである。

改めて「お誕生日おめでとう」。

（平成三十一年二月）

骨と血管

さっさと歩けることは最高にいい。若いころは身長もあり、スタイルもよかったので、少し高いヒールを履き、颯爽と歩いていた。

ところがこのごろの無様な姿はどうだ。背中と腰を曲げ、杖をつき、そろりそろりと歩いている。これではどんなにおしゃれをしても引き立つわけがない。かと言ってなり振りかまわず、田舎のおばさんくさい格好では、なおさら老婆っぽい。馬子にも衣装と言うではないか。

そもそも六十二歳のとき、派手にすべって転び、大腿骨を骨折したことが、その後の長い年月を引きずっている。足をかばうため運動不足になった。運動不足は骨を弱くする。御身お大事にが最もいかん。

二十年あまり前のことだ。人工骨挿入の手術のため、一か月入院をした。ちょうどいけばなの富山支部長を引き受けて間もなくだった。支部創立三十周年の記念行事を控え、二

人の副支部長には、随分迷惑をかけた。退院後もしばらくはベッドの上の生活だった。グチをたらたら言う私に夫は、

「頭を打って、お馬鹿さんになるよりはまだいい。これくらいは感謝しなくては」

と励ましてくれた。それはそうだけれど、道を颯爽と歩いている人の後姿を見て、どんなに惨めに思ったことか。記念行事は、周りの人の温かい支えによって、何とか無事成功裏に終了したのだけれど。

一週間に一度通っていたジャズ体操も、あきらめねばならなかった。温水プールの中を歩行してみたが、水中に長くいると手術をした部分の骨がズキズキと痛くなってくるのだ。温水プールといっても、お風呂のように温かくはないから致し方なかった。次第に体を動かさなくなり、「骨粗しょう症」の汚名を受けた。一六〇センチメートルあった身の丈が、今は一五四センチメートルしかない。オーバーコートの着丈も、和服の長じゅばんも短くしてもらった。くり返すようだが、姿勢は悪いし、のびのびとしていた足も短くなった。

昔、年配の人から、

「若い人はいいねぇ」

と、言われた言葉が、今しみじみわかる。

「ああ、こういう気持ちだったのだ」

でも、若い人を羨むのはやめよう。自分にだって若いときがあったではないか。順繰りであろう。情けない姿ではあるが、頭脳の方は年の割によく回る。そのため、人に馬鹿にされなくてすんでいるだけましだ。今度生まれてくるときは、くれぐれも転ばないように気をつけよう。

血管も大切だ。遺伝なのかよくわからないが、脂っこいものも食べず、野菜と魚中心の食生活なのに、コレステロール値が高いのはどういうわけか。やはり運動不足も影響しているのだろうか。私の体の腰から足にかけて血栓が沈着している。そのため、血管外科の先生から血液をサラサラにする薬をもらって飲んでいる。私と同い年のいとこがカテーテル治療を受けたと言っていた。血管を内側から広げるために、ステント、つまり、金属製の網状の筒を挿入するのである。そういう人は、世の中にたくさんいるらしい。血管は骨のように自覚症状がないから怖い。

若いころ、水泳で鍛えたあの頑丈な体はどこへ行ったのだろう。しかし、風邪も引かないし、内臓の病気をするでもなし、ここ何十年寝込んだこともないから丈夫なんだと思う。

私は八十六歳となった。人生百年時代、まだ十五年ある。十五年しかない？　どっちだ。骨と血管を大切にしながら、残った人生を楽しく、好きなように生きよう。

（平成三十一年二月）

雑誌『ひまわり』

女学生のとき、『ひまわり』という少女雑誌があった。今から七十年あまり前のことだ。殺伐とした戦争からようやく解放され、美しくて楽しい、夢のような雑誌に乙女心は揺さぶられた。

そのころ、子どもは定額の小遣いなどもらっていなかったので、母におねだりをした。

「本がほしいのだけど」

母は、

「勉強の本でないがけ」

と言いながら、しぶしぶ本代をくれた。

表紙は中原淳一先生の少女の絵である。目がクリッと大きく、口は厚ぼったくて小さい。髪に大きなリボンをのせ、着ている服のデザインにも憧れた。

もうずい分前になるけれど、復刻版を数冊買う機会があった。だが忙しかった自分は、パラパラとページをめくり、「ふむ、ふむ」と懐かしくうなずいただけで、その後長い年月、私の本棚に眠ったままだった。いいものを手に入れたという安心感もあったのであろう。

人生も終盤を迎えた今、それを見てみようという気になった。初版は昭和二十二年一月となっている。戦争が終わったのは二十年八月だから、その方面の先生方の熱心な、総力あげての出版ではなかったかと思う。

第一号は、吉屋信子が巻頭言として「青春に贈る」と題して書いている。要約するとこうだ。

「暗い恐ろしい時代に人々は疲れさせられていた。国の指導者の叫びつづけたことは、実は正しくなかったのだ。まず、自主的精神を持つことだ。

今までこの国が女性を一個の人間として認めず、寄生的存在だった。だがこの国の岸辺には、女性解放の新しい潮が打ち寄せている。男女は人間として同等である。

うら若き女性よ、善悪を自ら判別し、人生行路を自ら選び――、人の世に役立つおのれをつくるために、今何のさまたげもなく――云々」

とある。

余談ではあるが、吉屋信子の少女小説『毬子』の本を姉が持っていた。フランス人に育てられたみなしごの美しい毬子が、最後は父に会うお話だったように記憶している。夢中で何べんも読んだ。

『ひまわり』の中原淳一の影絵のシンデレラ姫は、年がいもなくうっとりとして見た。

少女向きファッションのページは、肩幅広め、ウエスト細く、アップリケやフリル、レースをあしらった服などを眺め、こんなのがいいなあと、夢をふくらませていたことを思い出した。明治生まれの母が作ってくれた服は、ごく基本的な、例えばショールカラーで、身頃は前開き、ボタンを並べる田舎くさいものだった。親友から、

「チョット古くさくないけ?」

と言われた。そのころは既製服はほとんどなかった。

ブラウスは自分で縫ったりしたが、よそゆき着は生地持参の上、仕立屋で縫ってもらった。母がデザインを仕立屋にまかせたときは、いくらか基本型を脱してハイカラになって嬉しい思いがした。

「楽しい少女の部屋」のページへとつづく。

物のない今の世では実現できそうもないけれど、せめて雑誌の上だけでも少女の皆様に

贈りたい、として部屋の絵がある。大工さんに作ってもらったような飾り棚に、フランス人形や写真立て、出窓に花模様のカーテンと植物の鉢、梯子を四、五段上って、天井の低い中二階にはベッドがある。

「ああ、こんな部屋がほしいな」

と思ったものだ。

自分が高校生のころ、みかんが入っていた手頃な木箱を横にして、それにサクランボをアップリケした水色のカーテンをつけた。それを広い机の上に置き、横に美空ひばりのプロマイドを飾って満足感を味わっていた。また天井隅に、かごに布で作った袋を縫いつけたものをぶら下げてみたり、結構楽しんだ記憶がある。これも『ひまわり』の影響だったのかも知れない。

他に『ひまわり』には、少女小説、西條八十の詩、手芸のページ、村岡花子の新しい憲法の解説などある。どのページも絵は大きいが、字がすごく小さい。紙質もお粗末である。

クロスワード・パズルの賞品が興味深い。

一等　少女向きの洋服生地一着分（一名）

二等　買物袋（二名）
三等　木彫りのブローチ（十名）
四等　絵はがき（百名）

とある。何と優しくロマンチックな賞品ではないか。「〇月〇日消印有効」とするところを、「〇月〇日消印は認めます」とある。本の代金は十五円。

戦後、美しいものに対する感覚を失った少女たちに、心のうるおいを与えたいという願いから出版された一号は、大変な売れ行きで注文に応じ切れなかったらしい。

ああ懐かしい時代、あのころは二度と来ない。健康寿命に気を遣うばかりの年齢となった。ほんのしばしではあったが、この文を書きながらロマンチックに酔いしれた数日である。『ひまわり』よ、ありがとう。

（平成三十一年四月）

グリンピース

買い物はほとんど嫁さんにやってもらっている。私は週一回、近くのデパ地下でフルーツやお菓子を買う程度だ。しかも重いものは持てないので、晴れた日にキャリーバッグを引っ張って行く。キャリーバッグは二台持っている。グレイの濃淡で大きな水玉模様のを一台、これはあまりたくさん入らないが品がいい。もう一台は黒地で、大分使い古しバタバタになったがたっぷり入る。たくさん買いたいときは、体裁はどうでも古い方のを引っぱる。

衣類の購入は、普段着は通販利用が多い。外出着は二年に一回ぐらい、オーダーを利用する。近所のデザイナーに前もって希望を連絡しておくと、問屋から生地を五、六着分取り寄せてくれる。先生は私の好みをよく知っているから、その中に必ず

「コレ！　これがいい」

という品がある。

シーズンオフのディスカウントをねらっての注文だが、イタリヤ製、スイス製のものなど、目の玉が飛び出るようなお値段だ。だから、そうそう頻繁には作れない。たまに思うことがある。もうどれだけ生きるかわからないのに、作る必要があるのかと。だが、私の心はそうはいかない。死ぬまでおしゃれをして、きれいでいたい。

自分があの世に行ったら、これらの服はどうするのだろうと考えないでもない。夫の知り合いで女房に先立たれた人がいる。奥さんの残して行った服は捨てようにも捨てられず、困っているらしい。

あれ？ グリンピースご飯のことを書こうと思っていたのに、いつのまにか買い物や服の話になってしまった。どうして？

先日、嫁さんにグリンピースを買ってくるよう依頼した。

「生のがなかった」

と言って缶詰のピースを買ってきた。がっかりした。グリンピースご飯を作りたかったのだ。今が旬。デパートに並んでいたのをヨコ目でチラッと見たことがある。

グリンピースご飯を思い立ったのは、シャンソン歌手、石井好子の『巴里の空の下オムレツのにおいは流れる』の本を読んでいてである。昭和の本で実に楽しい本だ。

「ざるの中にいっぱいの豆と、別にボールを持って居間に入る。ＬＰ盤のレコードをかけ、座り心地のよい椅子に腰を掛け、落ちついて豆をむき始める」

とある。豆の皮をむく雰囲気が好きでつい買ってしまう。買うから食べるわけだ、と書いている。皮むきの嫌いな人は、台所に立ったままむかず、座って体勢をととのえてむけば、そんなにいやなものでもないそうだ。だが、日本ではちゃんと皮をむいたものを売っている。この忙しいご時世に皮をむく時間がもったいないと考える自分は、打算的、現実的なのだろうか。

「もっと雰囲気を大切にしなさい」

と石井好子氏から叱られそうだ。

ヨーロッパ人は日本人にくらべて、よくグリンピースを食べるとのことである。じゃがいもを四半分に切り、人参も大きめの乱切り、玉葱はうす切りにしてグリンピースと一緒に煮る。煮上がったら水気を切って塩コショーで味をつけ、バターのひとかたまりを入れて大まかにまぜ合せて食卓に出す、と家庭料理を紹介している。

二度目の買い物のとき、嫁さんが念願のグリンピースを二パック買ってきた。

さあ作るぞ！　お米にお酒と塩を入れ、水加減を少なめにして炊く。グリンピースは色が悪くなるといけないので、塩茹でしたものを炊き上がる数分前に入れる。炊き上がったらざっくりまぜる。私はこれがあると、ほかのおかずはいらないくらい。

「うーん、塩味が利いて実においしい」

ご飯ばかり先に食べてしまって、おかずはあとでご飯なしで食べる。礼法から見て誠に行儀悪く、マナー違反だ。夫と二人きりの食卓だから許していただくことにしよう。満足、満足である。夫も

「旬のものは、やはりいいね」

残ったら電気釜は保温にしない。豆の色が悪くなるのを心配するからだ。次回は電子レンジで加熱して食べる。

時間が十分あれば、私は料理はきらいではない。仕事から帰って短時間に作らなければならない環境が料理を敬遠している。それと高齢に伴い、動作がゆるやかになってきたことも関係しているのでないか。石井氏のこの本を読み返してみれば、料理を作る楽しさもわいてくるかなとも思う。

彼女は不意の来客の場合でも、てんやものを取るのがきらいで、あり合わせの材料で簡単なものを作って出すそうだ。現代（いま）は予告なしの来客は少なくなったし、不意の場合は、

外食につれ出すことが多い。
買い物の話から、衣類やグリンピースご飯の話、筆にまかせて書いたらこんなことに。
好き勝手もいい加減になさい！

（平成三十一年四月）

三十年前のヨーロッパ旅行

四月十六日朝六時、ニュースでノートルダム大聖堂が炎上中だと、燃え盛る炎や煙とともに報道されていた。

「えっ」

と、まだパジャマ姿の私は目を疑った。あんなに荘厳で美しい大聖堂がどうして？　世界遺産にも登録されている。ああ、尖塔が炎に包まれながら、みるみるうちに崩れ落ちて行った。

「何てことだ」

とっさに、あの有名なステンドグラスのばら窓が、私の脳裏にうつし出された。あとで聞くところによると、寺院が所蔵していた重要な文化財は幸い運び出されたようなので、少しはほっとした。

昔、いけばな小原流から、ヨーロッパ三ヵ国のツアーに参加した。たしかあの前で集合写真を撮ったはずだ。急いで本箱の中を探した。

「あった！　あら若い。姿勢もいい。」

昭和六十二年、五十四歳とある。三十年あまり前だ。私は現役であっちこっちの諸団体で活躍中だったころか、キトキト（富山弁で新鮮で生き生きしている）の顔だ。スタイルものびのびとしなやかである。いつだったか『ノートルダムのせむし男』の映画を観たことも思い出した。

出入り八日間の旅行、夫の食事はどうして行ったのだろう。子どもたちは、大学在学中でいなかった。自営の会社の経理担当をしていた私は、十日間ほど先の仕事までやっていかなければならない。若いとはいえ、夫の食事のこと、仕事、旅行の準備などで、出発までにはへとへとになってしまった。電車に乗り、いけばな友だちの笑顔に会って、ほっとしたのを覚えている。富山支部からは五名の参加だった。

まず、西ドイツのフランクフルトに降り立つ。スーツケースは現在のように軽いものではない。空でも重い材質だった。でも若いから、空港のターンテーブルから出てくる自分のケースを、よろけずグイと持ち上げることができた。

機内食は珍しく、何でもおいしい。いつの食事かわからないくらい、何べんも出た。

ヨーロッパに行くのに、アンカレッジ経由で随分時間がかかった。ソ連の上空は飛ばせてもらえなかったからである。ルフトハンザ機内のワゴンで売りに来るものを何か買った。スカーフであったか、口紅であったかは覚えていない。ドイツ人の客室乗務員が、にこやかに応対してくれた。

「ダンケ！」

ハイデルベルク城は、あいにく小雨が降っていた。おきまりコースのロマンチック街道、ライン河下り、すべて楽しくて、楽しくて、家のことなどすっかり忘れてしまっている。

そのころは景気もよく、日本のいけばな人口も多かった。毎晩のようにおめかしをして、シャンデリアのもと、パーティである。夫の甥がドイツに住んでいたので会いに来てくれた。おかきとのりを日本から持参したような気がする。

スイスでは、インターラーケンの、これも超一流ホテルに宿泊。ユングフラウヨッホに行くための登山電車に乗る前に、バス運転手のひげのおじさんたちと腕を組んで記念撮影をする。おじさんたちは、ジャパニーズ女性と並んでにこにこ顔。並ぶ順序を変えて、もう一度写真を撮った。

地元の立山もそうかも知れないが、よくも標高三四五四メートルまで鉄道を作ったものと感心する。仲間の一人が高山病にかかり、ホテルに戻ってからも夕食抜きで、部屋で休んでいたのを気の毒に思った。

ジュネーブからフランス新幹線、T・G・Vでパリへ。エッフェル塔、ノートルダム寺院、ベルサイユ宮殿、ルーブル美術館などを回った。

パリのホテルではお風呂の具合がよくわからず、水しか出てこない。同室の若い相棒が英語を少ししゃべれるからと、フロントに電話したが通じなかった。

「私、英語は全然だけど言ってみるね」

と言って、

「ルームナンバー〇〇、バスルーム、ホットノー。ウォーターオンリー」

係員がすぐ飛んできた。

「あら、変な言葉でも通じたヮ」

さよならパーティは、パリ、ブローニュの森の中のレストランを貸し切りにして行なわれた。

マクロン大統領は、

「ノートルダム寺院を五年以内で再建する」と言っているようだ。そして、焼け落ちた尖塔のデザインを今までのをやめて、斬新なものにする案が、相次いで発表されている。例えば、ガラス張りにしてライトアップに、より映えるものとか。だが、市民からは反対の声も大きいという。私も急がなくていいから、原型通りに復元してほしいと願う者の一人である。

（平成三十一年四月）

長すぎた十日間

天皇の退位、即位にちなんで、国が何を考えたのか十連休を決めた。なんと長い休み、せいぜい三、四日でいいと思う。

四月はじめより、ひざの関節を痛め、

「痛い、痛い」

と言いながら、ノロノロとしか行動ができない私にとって苦痛な毎日が続いた。

休暇に入る前は、痛いながらも家中の隅々まで掃除をし、長年しまい込んだまま使用していないものの処分整理をし、季節の衣類の入れ替えをしよう。エッセイを書くのも普段なかなか進行しないので長い休暇に書こう。パソコンもいじろう。歩ける距離にスーパーがないので、夫に二回ばかり車で連れて行ってもらおうかな。半月後に外孫の結婚式を控えているから、髪を染めて、といろいろ考えていた。

休みの二日目、お風呂洗い場の排水口のふたをめくって、かび取り剤でゴシゴシ。きれいさっぱりにした。そのとき、ひざ保護のためサポーターをする。ひざに衝撃もなく誠にスムーズに仕事ができた。そのあとサポーターをはずせばよかったのに、何をするにもひざの調子がよかったので、一日サポーターをしたままでいた。

ところが夜はずしてみると、締めつけられていた境目にゴムの跡がくっきりとつき、筋肉がへこんで血流が悪くなっていることに愕然とした。すね、かかと、甲が、つきたてのもちみたいにポンポコポンにむくんでいる。少し痛みが和らいでいたのに、それを境に痛みがぶり返した。歩くのは一寸ずり。

夫と二人だけの食事であるが、後片付けをしたと思ったら十時のティタイム。三時にもティタイム。コーヒーカップなど洗って、夕食は何を作ろう。イライラしてきた。九十歳の夫はソファーの指定席に座ったまま、テレビ、読書、居眠り少しだ。

食器を洗うのは手だけ動かしていればいいから、苦痛ではない。食卓から流し台へ運ぶのが近い距離なのに、痛いし、危なっかしい。右手に杖、左手に食器を持つ。または、戸棚につかまって伝い歩きをしながら運ぶ。

娘が筍持参で遊びにきた日は楽しく、周りの空気も華やいでいい一日となった。

休み半ば、夫はゴルフに一回行ったが、

「疲れた」

と言ってハーフで上ってくる。年だものね。

ああ、休みがやっと半分過ぎた。イライラがだんだん募る。思わず嫁さんにスマホのラインでグチをこぼした。

「もうこんな生活はイヤ！　爆発寸前。足がまた痛くなってきた。十一日の結婚式に出られるかな。車椅子を頼もうか。ああ、イヤだ、イヤだ」

嫁さんに元気づけてほしかったのである。

「お母さんは完璧に何でもしようとされるから、大変なんじゃない？　二人だけなんやし、そんなに手間をかけないで楽しまれたらいいがに……(･o･)　ムリして結局ご機嫌まで悪くして、精神衛生上悪いし、楽しくなくなる。(･‿･)　今から買物に行くから何か買ってこようか。チンしたらすぐ食べられるものでもいいし。紙皿を使って、洗い物を少なくされるとかされたら？　夕方何か手伝いしに行こうか」

「ありがとう。もっと年取って動けなくなったら、お手伝いお願いします」

そのあとのスタンプが面白い。クマさんがホッペをつまんでビョーンと筋肉をのばしているのやら、鼻の穴に指をつっこんでいるのやら、こっけいなスタンプをいくつも送信してきた。

「笑って、笑って〜(^▽^)　ホラ！　ストレスは一番悪いからね。いい曲でも聞いて楽しいこと考えて、穏やかにお過ごしくださいな」「いろいろ励ましをいただいて、ありがとう。ペコリ――」

と返信した。どちらが親か子かわからない。

パソコンを入力した。こちらは腰掛けたままだからラクだ。ところがこちらがイライラしていると、パソコンまでご機嫌が悪くなった。原稿用紙に文を入力している最中に、急に画面が白く薄くなり、カーソルの矢印がなくなって、輪ッカがクルクルといつまでも回っている。ああ、今日はこれでやめた！　私の機嫌がよいときにまたしょう。

何だかんだと文句を言っているうちに、あと一日となった。普段の生活が恋しくなってきた。

休日明けの七日からは忙しい。

「頑張るぞ。はるさんらしく気持ちを切り替えてスイッチｏｎだ」

銀行が混雑するだろう。

（令和元年五月）

結婚披露宴のあとで

若葉の緑がすがすがしいよく晴れた日、息子、孫、甥ら数名と共に、富山市環水公園の「富岩(ふがん)運河クルーズ」に乗船した。十代から五十代の男女、そして八十代の私一人が車椅子利用である。

「えっ、あんな格好で船に乗るの？」

と、誰かが私たちを見て言った。他の乗船客は、風光明媚な環水公園を散策がてらのカジュアルな服装である。そのなか、私たちは黒ダブルのスーツ、白のネクタイ、ポケットにハンカチーフをのぞかせ、女性は改まったワンピースやスーツに、真珠やオパールのアクセサリーでの装いで、他の乗船客の注目を浴びた。

今日、別の式場で孫娘の結婚式があったのだ。

娘は三人の子どもを、二、三年でばたばたと結婚させ、ほっとしていることだろう。ご苦労さまでした。

この結婚式場は環水公園の岸辺に建つ、いい立地条件の式場だ。総ガラス張りで、カーテンを全部開け、立山連峰の残雪光る姿が空に浮かび、水と光の借景だ。

おいしい洋食をいただき、デザートは食べ放題。隣に座っている私の長男が、いっぱいテーブルに運んできた。

お開きのあと、

「船に乗りたい」

と、私が言った。だが夫は披露宴で疲れたのか、

「私は帰る」

「船に乗るんですが」

「いや、帰る」

そう言ってタクシーで帰ってしまった。

「一人で大丈夫かなあ」

と私は心もとなかった。普段から、

「運河クルーズをしたい」

と言っていたのに、いい機会を逃して残念だった。

乗船場へは舗装してある坂道を下りて行く。後ろで車椅子を押しているのは長男だ。結婚式のために東京から昨日来た。そろそろ船の出発時刻なので走って押してくれたが、こわい、こわい。車椅子を押すにも慣れ不慣れがある。初心者の上、ビールをしたたか飲んでいる。

「危ない！」

私は叫んだ。息子は後ろで声を出して笑っている。

「大丈夫やちゃ」

大きな引き出物の袋は、乗船場の事務所に預かってもらった。朱色の救命ベストを着せられ乗船した。私は式場で借りた車椅子に座ったままである。船会社のおじさん四人がかりで、段差のある桟橋を、

「セーノ、ヨイショ！」

と、持ち上げて乗せてくれた。他の客はすでに乗船し、我々が最後の客である。

水面を滑るように離岸し、船会社のおじさんが周囲の景色について説明をした。私は耳の聞こえが悪い上、おじさんはアナウンサーではないから、言葉がはっきりしない。さっぱりわからぬ。

富山市中島にある富岩運河は、運河の端と端に扉形式のゲートがある。そこへ船を入れたのち水門を閉じ、水位を昇降させて出て行く側と同じ水位にしてから船を進める。運河の長さは八十六メートル、調整水位、約二・五メートルの「水のエレベーター」を体験しながら閘門を通る。みんなはキョロキョロと左右の窓をのぞいている。

この運河は昭和九年に完成し、現在は国の重要文化財に指定されているとのことだ。パナマ運河方式だと説明があり、七十五分間のクルーズを終えた。

おめでたい日に、貴重な体験もプラスされ、みんなの笑顔に包まれた一日だった。

それにしても、自分だけいい思いをして、夫には悪かった。ごめん。


（令和元年五月）

「薬に殺されるゥー」

六月のある金曜日四時半、夫はふとんから起き上がるとき、ふらっとなって私のベッドに手をついた。私はドキッとして目をさました。その日は、Kカントリークラブで北陸オープンアマチュア予選がある。夫は競技委員をやっているので、五時に運転をしてカントリークラブに向かった。その日は何事もなく、無事に帰ってきたのでほっとしていた。

ところが次の朝も、起き上がるときに、隣で寝ている私の体に手をついた。

「ああびっくりした。どうしたの？」

昨日よりもふらつきがひどかったようである。夫はさすがに体の不調を感じ、クラブへは断わりの電話を入れていた。

「低血圧なのかな」

と、私は思った。普段でも低血圧、低体温の人である。夫は個人のかかりつけ医を持っていない。いつもは定期的に総合病院の内科医に血糖値とか、体全般について診てもらっている。ところが土、日は休診だ。

仕方がないので、私のかかりつけ医へ嫁に送ってもらって行った。飲んでいる薬の一覧表も持参させた。私は二月からヒザの関節を痛め、家でじっとしているだけで心もとない。

夫は風邪をひいても葛根湯を飲み、一日か二日寝ていたら不思議に治る人だ。自分から

「〇〇医院へ行ってくる」

と言い出したのは、よほどつらく、これはおかしいと思ったのであろう。

ところが医師にしてみれば、はじめての患者が急に来院されても、夫の体のことはよくわからないのだろう。嫁の話では、薬の一覧表を見せられ

「えっ！　こんなにたくさん薬を飲んでいるんですか」

ブツブツつぶやいている。血圧を測ったら上が九〇あまりしかない。上というのは収縮期血圧のことだ。

「お父さんはいま、点滴をしています。お昼ごろまでかかる。終わったら私が車で迎えに行くのでご心配なく。月曜日にはすぐ病院へ行ってくださいとのことです」

嫁からそんなメールがあった。

「大丈夫、大丈夫」

私はそう言って何気なく夫が飲んでいる薬の名前、効能、注意事項が書いてある表を見た。

「あれ？　ＡとＢの薬は狭心症改善、同じ効能だ。同じような薬をどうして二種類飲むのか。薬の出し過ぎではなかろうか」

素人の私が見ても疑問を抱く。「薬は毒だ」と健康の本で読んだことがある。インターネットで調べてみた。Ａの薬は長期間飲むべきではない。また、ＡとＢとは併用してはならない、とある。両方とも血圧を下げて……云々とある。

「これだ！」

医師が代わってから二週間、二種類を飲んでいたことになる。

「Ａの薬をすぐやめてェ！」

夫は説明書を見ながら
「そうだねぇ」

と、即、薬を片方飲むのをやめた。

「ああ、薬に殺されるゥー」

日曜日、夫はふとんの中で静かにしている。私が持っている血圧計で測ったら、低血圧は少しもどったが脈搏が五十五しかない。私の脈拍は常に七十二から七十五だ。

「えー！」

と、思う。

私が、夫の食事についてどれだけ気を遣っているか。例えばガンの予防には納豆、豆腐、などの大豆加工品、きのこ類、レモンがいいとか、朝食もパン、コーヒーにしないで、ご飯、味噌汁にしている。根菜類を含めた野菜たっぷり、肉より魚の方を、それもイワシとか、サバ。ビタミンDの多いきくらげも食べるし、骨を丈夫にするひじきも食べ、黒にんにく、魚粉のふりかけ等々。こんなに体のことを思って食材を選んでいるのに、片方で薬で体をこわしたら、努力している私が泣きたくなる。

月曜日を待って病院へ行った。

「心電図、異常なし」

「血圧は？」

「忘れた」

のんきなものである。薬を一種やめているので元に戻ったのか。

「T先生は親切、丁寧、なかなかいい先生だ」

夫は信頼し、満足しているようだから、私はT先生を悪く言うつもりはない。ただ、この症状にこの薬が効くからと、安易に処方するのでなく、副作用の知識も勉強してほしい。これは、医者一般に言えることかも知れない。

今日も私は体にいい食材を使う。

「おいしかった。ごちそうさま」

夫は感謝を込めて言った。

「近くなのに、車で送り迎えしてくれて、やさしい嫁でよかった」

ともつけ加えた。

薬の恐ろしさを知り、自分の体は自分でしか守れない、と痛感した。皆さんも気をつけて！

（令和元年六月）

足の爪

今朝起きて夫に開口一番、

「おはようございます」

ではなく、

「電動の爪切りを買おうか」

だった。

ここ四か月ほど前から、左足の親指が痛い。ふとんに触れただけでも痛い。外出は普段はきなれた靴でも痛いので、4Eの運動靴をはいている。運動靴といっても金と銀をまぜたようなおしゃれな靴だ。シンデレラの靴とは反対にデッカイが、小さければもっとかっこいいだろう。

親指が痛いのとは別に、何年も前から私は末梢動脈疾患だ。足先までの血流が悪く、放っておくと壊死寸前になるところだった。血管外科で処方される、血液をサラサラにする飲み薬で、どうにか痛みはなくなっている。今回もそうなのかなあ？　でも痛いのは親指だけだ。先生に訊こう、訊こうと思いながら数ヵ月たった。

夫も私も足の爪切りは苦手だ。足の爪は固い。それに私は左側大腿骨に人工骨頭が入っているので、股関節部分を九十度以上曲げられないのだ。ベッドに腰掛けたまま、ぐーんと前かがみの姿勢で切らねばならない。おまけに目も悪い。

我が家の引き出しに、爪切り機が数種類入っている。昔からのもの、持ち手が十七、八センチもある長いのや、ご丁寧に革のケースに入ってやすりなどがセットになったもの、東京「木屋」のはがねの爪切り。握りやすいように持ち手がカーブしていて上下の刃が大きく開くものもある。これらは夫が通販のカタログを見て購入したものばかりだ。

「これも駄目、あれも駄目」

さらに新品種が見つかればまた買う。

さて、私の足の親指は血流の問題ではなく、皮膚科かな？　骨は痛くないから整形外科ではない

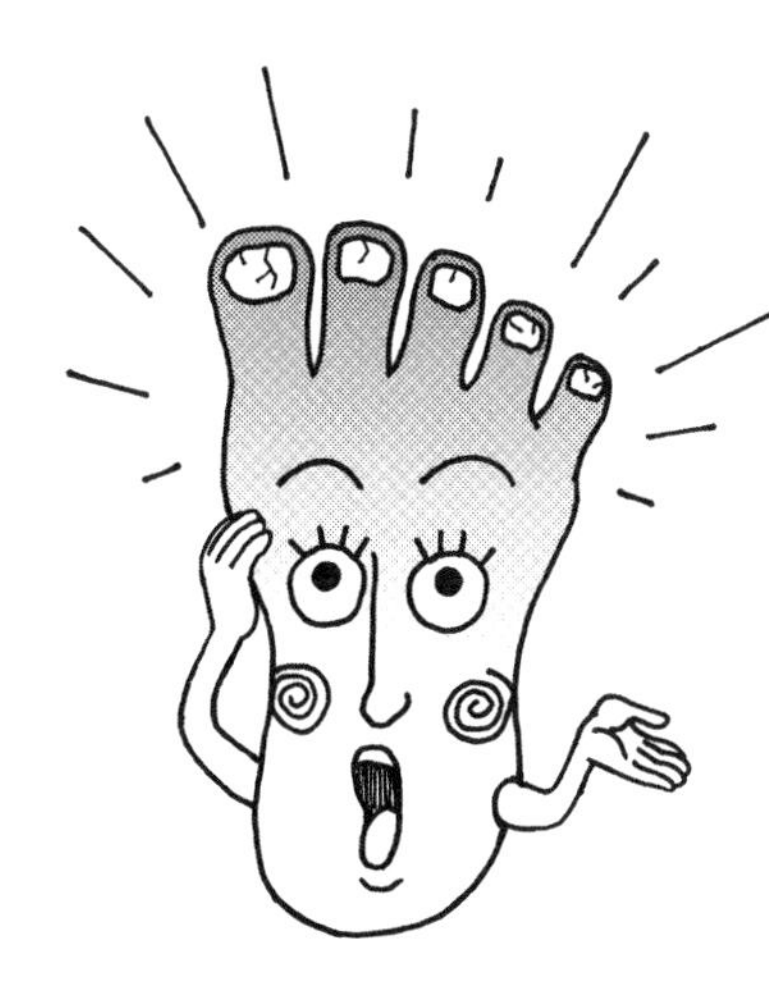

ようだ。爪がどうなっているか見てみよう。

ベッドに腰を掛け、電灯を明るくして度の強いめがねに交換をする。そして豆ランプがつく拡大鏡でのぞいてみた。あれ、爪にヒビが入っている。表面がなめらかでない。ほかの指先の皮膚も目が粗く、かじったおかきの断面のようでボスボスだ。これは手入れをしなくちゃいかん。カルシウム不足だろうか。

皮膚科へ行ってみた。

「爪を切り過ぎたのですね。足の爪は平らにまっすぐに切ってください。両端を深くカーブして切らないことです。巻き爪の原因となります」

初診料だけの有難くないお客さんだったかな。

血管外科の先生は、

「指の先までちゃんと血液が流れていますよ」と、言った。

「カタログで電動の爪切りを見たことあるんですが。でも電動だから爪ばかりでなく、指の肉まで削り取ってしまわないかと、買うのをためらっているのです」

「へえー、電動の爪切りってあるんですか」

先生は感心している。

二か月前から自分はひざ関節の炎症で歩行困難になり、杖を頼りにやっと歩いている始末だ。次から次へと痛いことばかり。普段の心掛け、つまり感謝の気持ちが足りないのだろうか。そういえば、

「痛い、痛い」

の連続で、

「ありがとう」

の言葉をこの頃言っていない。反省！

スウェーデン製の爪専用の薬を、これまた通販で見つけ購入した。小さなチューブに入った透明の薬で、効能は割れたり、乾燥したりする爪に、うるおいと栄養を与える、とある。結構お値段がする薬で、大切に使っている。

数日して電動の爪切り機が届いた。機械に弱い二人は封を開けようともしない。テーブルの上にポンと置いたまま、二、三日が経つ。似たもの夫婦とはこういうものか。

そうこうしているうちに、足の指の痛いのが少し治まってきた。革靴を履けるのももうすぐだ。

（令和元年七月）

颯爽と生きていこう

夫の書斎に人生を導く先達の金言集、『人生心得帳』致知出版社――があった。パラパラとページをめくってみる。その中で

「いつも颯爽としている」

「いつも颯爽とした晴れやかな気分でいる」

渡部昇一

が目にとまった。その言葉に魅力を感じる。

颯爽と胸を張って歩く。姿勢よく元気に歩く。いや、歩くとは限らない。毎日の仕事についても重要なことだ。いつも活動的に愉快にやる、ということだろう。

ところが現実には、その日によって心晴れず、ウニャムニャとすることがある。休日に何もしたくなく、だらける日がある。そんな時は家事をほうり出し、思い切って自分の好きなことをやったらいいと考える。

例えば私は机の上でやることが好きなので、エッセイをパソコンに入力したり、全部実行もできないスケジュールを立てて

「さあ、これに基づいてやるぞ！」

と、意気込んだりする。スマホでひ孫の動画を見るのも気分転換になる。生後一ヵ月あまりだが、まあまあ絶えず足や手を動かし、本人にしてみれば相当の運動量だ。思わずほほえんでしまう。赤ちゃんは常に動いているから、気の流れがいいのだ。動画を見て、気分が乗ってくれればしめたものだ。ウニャムニャは消えている。

私の場合、姿勢が悪いのでそれも気をつけたい。若い頃のどの写真を見ても、胸を張ってのびのびとしている。ところが今はどうだ。圧迫骨折をしたせいもあるからだろうが、胸か腰か知らないが曲がっている。ピンと伸びない。胸を狭くしていると内臓に負担がかかるらしい。写真に納まるときは、腹に力を入れ、偉そうに胸を張る。しかし、出来たそれを見るとあれだけ意識していたのに、そのようには見えない。がっかりする。

でも心だけは颯爽と胸を張っていたい。カラ元気でもいい。体がついてこなくても、やる気が満ちていれば満足なのだ。覇気のない人、マイナス言葉を吐く人のそばには、なるべく一緒にいないことにしよう。楽天的な人がそばにいれば気も晴れる。

運動不足もいけない。体がこわばり、心もかたくなになりがち。ひ孫のような全身運動とまではいかなくても、適度に体を動かそう。

夫の書斎に本がいっぱいある。あふれかえっている。

「必要な本と、捨てていい本と区分けしてください」

といっても重い腰を上げてくれない。見るに見かねて、

「これはいりますか」

「これは捨ててもいいのでは？」

私が整理することになる。

小説、歴史的な本、人間を磨く本、世界情勢の本、健康に関するものなど、区分けしながら、ついついページをのぞく。むずかしいものは別として、雑学的な面白い本があると読む羽目になり、なかなかはかどらない。

ある本に、水を飲むとき
「血液がサラサラになり、健康できれいになってありがとう」

そう言いながら飲むと、その言葉を聞いた水がよろこんで
「では健康でキレイにしてあげましょう」

と、やってくれるそうだ。本当かなあ。

また別の本には、常に体の中に酸素を充満させておけば病気も克服できるし、高い山に登っても高山病にはならない、とある。

先ず、正しい姿勢で深呼吸をする。そのあと、何秒間か息を凝らし、取り入れた酸素を丹田（へその下の方）にため込むようにするのだそうだ。「丹田」を、新選国語辞典――小学館で繰ってみた。「心身の精気が集まるとされる所」とある。

私もやってみた。一日に何回もやらねばならないそうだ。たしかに体の調子もいいし、気分もシャキッとするように思う。気のせいかなあ。でも毎日は面倒くさい。

あれ？　私は何が書きたかったのか。そうだ、「颯爽」という言葉に魅力を感じ、自分もそうありたいことを書きたかったのだ。

本の整理をしながら、何だか横道にそれた。雑文とはこういう文を言うのだろうか。要するに、きりっとした気分で愉快に毎日を過ごすことだ。グチも泣き言も言うまい。


（令和元年九月）

優雅な旅行――やさしい添乗員

九月五日、「北陸新幹線グランクラスで行く、東京・箱根・鎌倉」の旅に夫と参加した。大変優雅な旅で、参加者は四組の夫婦と友人一組の計十人だけだった。よく気のつく添乗員が乗車していた。

東京駅から貸切りバスがいる駐車場まで結構歩く。私は前もって歩くのが遅いことを旅行会社に届けておいた。後尾にいる添乗員が、

「もっとゆっくり歩いてくださーい」

と、先頭にいるバスガイドに叫んだ。そして、

「もう少しで駐車場ですからね」

と言って私をいたわってくれた。

その日は箱根小涌谷温泉に宿泊。夕食は創作料理で和と洋を組み合わせてある。あの脂っこいさんまを三センチ四方ぐらいの龍田揚げにして一切れ、他の料理に添えてある。

あっさりとおいしかった。刺身はドライアイスのケムリが立ち込めた大鉢に、タイ、マグロ、するめイカなど、高級なものを少しずつ品数多くある。夫は家では、

「もうおなかがいっぱい」

とすぐ箸を置くのに、今日は大丈夫かなと思うほど食べている。

「ごちそうさま。おいしかった」

帰り売店に寄った。添乗員がそこにいて、

「お食事どうでした？」

「すごく、おいしかったです」

私の背中をなでながら、

「あら、よかったわ」

各部屋に露天風呂がついていた。お湯は自分で入れる方式。夫は大浴場に行ったが、杖をついている私は大浴場は苦手だ。

翌日は、あっちこっち見学しながら、小田原から鎌倉に向かう。甥が住んでいる茅ヶ崎市を左に見、右側が海の海岸通りをバスは走った。茅ヶ崎市、南湖の案内板が目についた。

南湖には昭和のはじめ、広い敷地内に「南湖院」という結核療養所の建物が十一棟並び、著名人の患者らが入所していた。私の長兄も一時期そこにいた。今は建物一棟だけが記念に残されているという。私は、写真で見たことがあるその白い建物を一生懸命探した。だが、松林や高層ビルに遮られ、ついに見つからなかった。

甥にメールをした。

「海岸通りからは、白い建物は見えません」と、返信があった。

「江の島から鎌倉に向かうときは、いつも車が渋滞しています。そんなときの楽しみは、右手の海岸でサーフィンをしている人を眺め、左手の江ノ電（江ノ島電鉄）の往き来をゆっくり眺めることです」

甥は、叔母が今、茅ヶ崎を通過中にびっくりしたらしい。詳しくメールをしてきた。

鎌倉では、人力車に乗るのも旅の行程に含まれていた。鶴岡八幡宮前から赤い毛布をひざに掛けられ、人力車は動き出した。俥夫がいろいろ話しかけてきた。

「乗るのははじめてですか」

「いや、浅草で乗ったことがあります」

住宅街や寺の前を走り、赤い橋のたもとで車を止め、

「カメラかスマホを持ってたら写しますよ」

タクシーと違って、あまり乗り心地のいいものでもなかった。

降りたあと夫が、

「大仏を見たい」

そこに添乗員がいて、タクシー会社へ電話をかけ、往復でどのくらい時間がかかるか聞いてくれた。

「黒田さん、大仏は遠い所にあります。残念ながら集合時間までには帰ってこれません」

申し訳なさそうに言った。

何せ暑い日で、私は歩くのもイヤになった。八幡宮鳥居のすぐそばの和風喫茶に入った。冷房がひんやりとし、何より腰掛けられることが嬉しかった。甘いものを口に入れながらふとガラス越しに見る景色。

「なんて広い蓮池なんだろう」

いけばなをやっている私は大いに関心をもって見た。まだ少し元気な葉、カリカリに枯れて茎が折れ、池の水に首を突っ込んでいる葉、白い花のつぼみがスックと立っているかと思えば、緑の小さな実になっているもの一本、飽きることなく眺めた。季節のうつろいを感じる。

浴衣姿の若い女性が、足の爪を赤く染めて下駄をはき、きんちゃく袋を提げて散策する姿を何人も見かけた。レンタルだそうな。

ホテル椿山荘東京の夕食は、広大な庭園の坂を下りたところであった。帰りは添乗員が車椅子を用意してくれ、部屋まで送ってくれた。ありがとう！　九十歳の夫は歩いて帰った。申し訳ない気持ち。

最終日、バスは東京駅の真前の車道で止めてくれた。これも添乗員の心くばりだ。感謝、感謝、大変世話になった。ゆうべホテルで書いたお礼のメモに添えて、スカイツリーで買った心ばかりのハンカチをこっそり渡した。

晴天に恵まれた旅行だった。富山に帰った次の日、甥からメールが届いた。

「これから台風直撃です。風雨になってきました」

（令和元年九月）

いとこ

つい先日、いとこが亡くなった。私と同い年だった。私のいとこは十三人いたと思う。母の実家は、富山県福野町（現南砺市）にあった。母の次弟が英語の教師をしているかで、金沢市に住んでいたらしい。だから、いつ遊びに行っても広い屋敷に祖母が一人で暮らしていた。明治半ば生まれの人にしては、スラリと背が高かった。よく台所で山菜の処理などしていた。下駄を突っ掛けて行く便所の途中の空き地に、秋海どうの花がひっそりと咲いていたのを妙に覚えている。

しかしいつだったか、いとこたちとは広い背戸で遊んだ記憶もある。母の末弟のいとこも加わって、六、七人でかくれんぼうをした。竹やぶの中にかくれたり、土蔵の陰にかくれたりした。

「はこちゃん、見つけたぞ」

背戸の中ほどに川が流れていた。その川に笹舟を浮かべ、誰の笹舟が早く流れていくかを、ワァワァ言って競い合い遊んだ。

お昼のご飯は大勢だったので、まぜご飯とお豆腐のおつゆだったように頭の片隅にある。

自分が大人になってから、その背戸に一人たたずんだことがある。背戸はひっそりしていた。笹舟を流した懐かしい川、

「あれ？　川幅がこんなにせまい」

幼いときは、岸から岸へ飛び越えることもできなかったのに。

「うそだい！」

不思議でたまらず、がっかりもした。

次世代の人は東京に住み、跡地は広い駐車場になっているとか――。

父方のいとこの一人は戦争で亡くなった。一人息子を戦地で亡くした叔母は、実家に来て庭に面した八畳間で泣いてばかりいた。私の母に、ひと言、三言息子の思い出をしゃべっては、また泣いた。子ども心に気の毒に思った。

私の姉は、いとこ同士の結婚だった。戦時中の冬にもんぺ姿で家を出て行った。私が国民学校（現小学校）六年生のときである。雪がいっぱい積もっていたので電車（加越線）

は動かず、福野まで歩いたと聞いている。姑が二人いる地主の家に嫁いだが、非常時のこととて結婚式は省略、終戦後に内輪だけで改めて式を挙げた。その姉も、もう九十三歳となる。遠い、遠い昔のこととなった。

もう一人の叔母には五人の子どもがいた。にぎやかなものである。叔母は上の三人の子を連れて、よく実家に遊びにきた。男の子ばかりで、私と同じような年ごろだった。長男の方は、物静かでおとなしい性格だが、あと二人は活発な子だった。

私の家の二階は、十畳間が二つ、八畳間二つ、合わせて四つの部屋があり、庭側に縁もあった。現代の建築と違って部屋はそれぞれに独立しておらず、夏などふすまをはずして開けっ広げてあった。その四つの部屋を大声を出しながらグルグル走り、追っかけてけんかをしていた。すさまじいものである。小学校低学年だったろうか。私はただそれを見ているだけだった。私の母が見るに見兼ねて机で静かに本を読んでいる長男に、

「譲ちゃん、このけんかどうにかならんがけ。やめさせられま（どうにかならないの？　やめさせてよ）」

と言った。長男は読んでいる本から目も離さず、

「いつも、あんながや（ああなんだ）」

知らぬ顔をしている。そのうち、いつとはなしに収まった。

少し大きくなってからは、下二人の子育てに追われてか、叔母もあまり来なくなった。その代わり、よく電話で義姉である母に何でも相談をしてきた。

「同窓会に行くのに、何を着て行けばいいかね。ちょうど季節の境目だし」

そのころの電話は、受話器と送話器が別々になっていて、電話交換手につないでもらう形式のものだった。

「フタヒャクヨンジュウフタ番（二百四十二番）お願いします」

と言っていた母の声が今でも耳に残っている。

お互いに年ごろになるにつれ、いとこ達とは疎遠になって行った。

つい最近亡くなったいとこととは、毎年年賀状のやり取りをしていた。ところが今年は届かなかった。何か病気なのかと案じもし、それともうっかり名簿から見落としたのかも知れない、と思ってもみたりしていた。新聞のおくやみ欄を見て、びっくりした。

よく遊んだいとこ達、みな老齢となり人数も半分になってしまった。一抹の寂しさを思う。昔は楽しかったなあ——。

（令和元年十月）

おんぶにだっこ

私は八十六歳だ。足の不都合以外は元気だ。自分の心の中では、母と同じく百二歳を目標としている。頑張ろう。

だが最近、趣味のいけばなも体力的に限界を感じるようになってきた。いつ止めようかと日々考えている。高校一年から今まで、七十年間も携わってきた。我ながらすごいと感心する。

つい先日、富山市内のデパートで諸流展があった。いけ込みの日は助手の弟子を伴い、バケツ、花材、花器などの荷物を全部持ってもらい、杖を突きながら不自由な足で出かけた。老爺柿(ろうやがき)、鶏頭、かえでを九谷焼の徳田八十吉作の花瓶に生ける。花屋さんがかわいい小さい葉のもみじを用意してくれた。紅葉もほどよい加減だ。

それとは別に、夫は体調を崩して次の日から入院をする予定なのだ。私としては、いけばなどころではない。だが一ヵ月半も前から出瓶することに決まっているので、いまさら

「やーめた」とは言えない。心は半ばあっちを向いている。だから生けるのもほとんど弟子まかせである。それに足が弱ってきた自分はじっと立っているだけでもつらい。

半ばどうでもよいという投げやりの気分のところに、昔同じ時期に支部の役員をしていた人が声をかけてきた。

「お元気？　もう少し何とか頑張ろうね」

と、その人は優しく私の背中をなでた。うれしい気分だ。

「あんなこと、こんなことあったでしょう――」

二人の間には共通する思いがある。年を取ると、昔あったことがいいにつけ、悪いにつけ浄化され、楽しかったことだけがいい思い出として残る。

会場を見回すと腰の曲がった人、あの人ずい分年を取ったなと思う人も、精神を集中させ、自分の作品に没頭している。すごいパワーだ。私だけが弟子まかせでチャランポランしている。イヤ、夫の心配もあるから集中できないのかもしれない。

毎朝、オープン前の花の手入れも、事情を知っているこの弟子が引き受けてくれた。スマホのラインで、

「今日は水がすごく減っていた」

とか、

「もみじは大丈夫。元気です」

と、毎日報告をしてくれる。私は夫の病室で、「すごくいい弟子を持って果報者だ」

と思う。

台風19号が静岡方面に上陸した。今晩当たり富山県へも来るというので、デパートは五時閉店となった。

「撤花は一時間繰り上がりました。五時撤花です」

「私行くよ」

「いいえ、先生来られなくても私が全部やりますので。花瓶は後日にお届けします」

彼女の家からは、車で四十分ぐらいかかる。撤花したあと、暴風雨に遭わなければいいが、と心配する。ごめんね。まるでまかせっきりで。

夫の手術も昨日終わった。一晩だけ病室に泊まって、今日は家にいる。夫から電話が入った。

「風邪気味なので、明日来るとき葛根湯（かっこんとう）を持ってきてくれないか」

「あら、病院から風邪ぐすりを貰ったら？」

「いや、私には葛根湯が一番効くのだ」

嫁が横で聞いていて、

「葛根湯を飲むのなら早い方がいいです。明日と言わず、今から届けてきます」

台風がそろそろやってきたのか、風雨の中を嫁が届けてくれた。

「よくやってくれる嫁だ」

うれしかった。

私の周りには優しい人がいっぱいいる。おかげさまで華道展の責任も、無事果たしたことになった。感謝します。心がふんわりと、いい心地になった。


（令和元年十月）

どうぞお好きなように

十一月二十九日、夫が無事退院をした。

「心不全」という病名だった。

「しばらくは大人しく、静かにしているように」

との注意を受けての退院である。部屋の中をよろよろと危なっかしく歩いている。

「休みたければどうぞ」

私は布団を敷いた。九日間の入院だったのに、竜宮城から帰ってきた浦島太郎のようだ。いつも決まったところに置いてある物を、

「どこへ行った?」

と探す。アレ? 我が家のこと忘れたのかな、早く現実に戻ってもらわないと困る。

夫の入院中に遠赤外線の暖房器具を買った。部屋にはエアコンも石油ストーブもあるが、夫は石油ストーブの方が好きらしい。だが、玄関の隅に置いてあるタンクの灯油は、

日ごとに減っていく。灯油はすぐ近くの息子の家から運んでいる。九十歳の夫にそんな労働をさせたくない、そんな気持ちから注文した遠赤外線の暖房器だった。だが使ってみたら、これ一台では部屋は暖まらぬ。エアコン又は石油ストーブをつけて、はじめて効力を発揮する。遠赤外線が壁や家具に当たり、はね返ってくる輻射熱（ふくしゃねつ）を利用して部屋全体をぬくめてくれる。少しがっかりしたが、使ってみると部屋中がほんわかとする。まあいいかと思った。

　金曜日に退院をしたので、ちょうど土、日は休みだ。朝は久しぶりの我が家の味噌汁。食は細くなっている。ソファーに腰を掛け、テレビを見たりして静かに過ごしている。

「今日だけ布団をそのままにしておきますからね」

　私が台所にいると、のれんの間から顔を出して改まった口調で、

「今日、明日は家で入院生活をします。月曜から普通に戻ります」

と、私の顔を見て言った。

月曜日、朝五時半、外は寒くまだ暗いのに、夫は今まで通り散歩に行くという。

「行ったら駄目やちゃ」

「ほんの少しだけで帰ってくる」

「城址公園まで行かないで、家の周りぐらいで帰ってきてね」

夫はいそいそと散歩用のシューズを履いている。

「あ、携帯電話持って行って」

「面倒くさい」

夫は携帯電話は苦手なのだ。四十分間ほどで無事帰ってきた。ほっとする。そして、いつものように定刻に自営の会社に出勤をした。

火曜日は歯医者の予約日だった。往きは嫁が車で送った。

「帰りはタクシーで帰ってきてください」

と、チケットを渡した。ところがなかなか帰って来ない。ちょうどお昼どきだった。

「この頃、お父さんに気を遣うばかりで、楽しいことは何もない」

と私が言うと嫁が、

「このプリンおいしいから、おいしいもの食べて晴れ晴れした気持ちになってください」

そう言ってくれた。私は窓のカーテンを少し開け、夫が帰ってくるのを今か今かと待つ。背後で、

「ただ今」

と夫の声。

「あれ？　タクシーが停まるのを見ていたのだけど……。歩いてきたんでしょ。こんなに心配しているのに」

退院したばかりの夫は、十六、七分かかるところを歩いてきたらしい。車が危ない。

息子曰く。

「そんな生き方もあるんだ。好きなようにさせておいたら？」

なるほど。神経をすり減らし、やきもきばかりしてないで、本人の好きなようにさせるのも一つの方法かと納得した。気が楽になった。

数日前からテーブルの上に、沖縄より更に南の「八重山四島めぐり」の旅行のチラシが置いてある。

「まさか、これに行くのでなかろうね」

と、思っていると、

「この旅行どうけ？　行って来んけ？（行ってこないか）」

「えー？」

この人、どこまでやる気なんだろう。

「行ってもいいけど……」

夫はいそいそと旅行会社に申し込んだ。

「満席だって」

私は内心ほっとした。だが夫は、次の旅行を考えるかも知れない。

「どうぞ、お好きなように生きてください」


（令和元年十二月）

令和二年の正月

寒とはよく言ったものだ。寒い！　今日は気温が低いぞ。予定としては午後、薬局に行って葛根湯（かっこんとう）と牛黄（ごおう）（生薬。息切れ、気つけによい）を買い、そして私にとっては少し遠いカメラ屋に行く予定だった。

写真はパソコンでやってもいいけれど、面倒くさいし、色の具合がカメラ屋でやった方が美しい仕上がりになる。正月二日、我が家の座敷に総勢十七人集まった。配偶者同伴の子どもや孫、そしてひ孫たちである。そのときの集合写真をまだ焼きつけていない。

スマホで撮った人は即刻、ラインで流してきてはいるのだが。ひょうきんな若者が一人いて、おどけたポーズで写真に納まる。二、三人の女性も、それに釣られて何かポーズをする。かしこまるよりは、画面に動きがあって面白い。

さて、正月のうたげの料理は、仕出し屋の重箱に入ったおせちの他は嫁と私が作った。内孫の次男も台所に立って塩鮭を焼いたり、盛り付けをしたり大いに働いた。夫が暮れに取り寄せた北海道産の寒風干しの鮭、焼くと皮まで香ばしくてうまい。

嫁は煮染めや、若者用にピザ、チーズなどで食卓を賑わせ、私は今年はまだらのこの煮つけ、鶏肉のコカコーラ煮、ほたて貝やごぼうなどの炒めものを作った。黒豆は毎年欠かさない。かぶらずしは二人の友人がそれぞれ暮れにくれる。

その他、九州呼子名物のいかしゅうまいもテーブルに載る。若者が多い集いには、正月だからといっておせちは形式上少しだけだ。

しつらえは、何年か前まではあっちの部屋、こっちの部屋からテーブルを集めていたが、スマートではない。そこで三年ほど前に組み立て式の長テーブルを二台買った。それでも全員座れないので、あと二つテーブルを合わせ、長い白布で覆えば会場として豪華になる。席次表を張り出す。楽しい一夜を過ごしたことはいうまでもない。

私達夫婦は、すぐ近くのマンションに暮らしている。明くる夜、私の長男が何か調子悪そうだ。高校時代の友人と外で一杯やる予定だったが、いつもは十二時過ぎに帰ってくるのに、八時ごろ変な顔つきで帰ってきた。

四日は土曜日だった。朝から熱が三十八度五分ある。富山市の急患センターは、早朝六時まで医師が待機していたが、昼間はやっていない。幸い近所のY内科医院がやっていた。

「インフルエンザだって」

と息子は帰ってきた。

「え――」

と私は言い、彼は布団にもぐった。インフルエンザの潜伏期間は一乃至三日というから、どこでもらってきたのかはわからない。

食欲のあるのが幸いだった。お昼は土鍋で出しを効かせて炊いたおかゆの上にとろけるチーズを一枚載せ、たらこ、ヨーグルト、ぶどう園のジュースなどお盆で運んだ。もちろんマスク着用である。

しばらくしてドアの外に食べたあとの食器が出してある。ウイルスが付着しているであろうその食器は、洗剤を十分に使い、流し水で最後に洗った。部屋やトイレのドアノブを消毒薬原液で時々拭いた。厳重に手洗いもした。

翌五日午後、息子は急に、

「東京に帰る」

と言った。

「熱は？」

「七度五分」

「まだ熱があるのに帰ったら駄目やちゃ」

顔を見ると熱っぽく、だるそうな表情をしている。

「でも帰る」

「荷物は明日すぐ送るから、身を軽くして行かれ。もう一日ここにいればいいのに」

と私は止めたが帰ってしまった。多分、老いた親にうつさないようにとの配慮ではなかったろうか。

幸い予防接種をしている私達には伝染しなかった。でも息子が帰ったあと、三日間ぐらいは自分の体がウイルスと闘っているのではないかという、微妙な感覚を覚えた。息子には、

「二人とも発病していないよ」

と、メールで安心させた。

暖冬とはいえ、寒中は気温が低く、足、とりわけヒザがぎこちない。年よりは天気のいい日でないと外出は億劫だ。つい、明日にしようとなる。イヤなことは後まわしだ。明日

は暖かくなる見込みもないが、思い切って薬局とカメラ屋に行こう。マスクをしてね。

（令和二年一月）

夫のケガ

夫はまだ帰って来ない。

道路が凍てついた二月七日朝五時半、毎日の習慣で夫は散歩に出掛けた。

「すべって危ないから行かれんな（行かないで）」

「ダイジョウブ」

と言って夫は玄関を出た。

いつもは六時過ぎに帰って来るのに、二十五分のＮＨＫテレビ体操が始まっても、

「ただ今」

という声がない。体操どころではない。心配でエレベーターホールの窓を開けて、今か、今かと夫の姿を探すが帰って来ない。嫁にメールをした。ほどなくして電話が入った。

「お父さんは救急車で運ばれた」

「えっ？」

息子夫婦の家の近くですべって転び、動けなくなったようだ。この氷点下の路上に、十五分か二十分間倒れていた？　その辺のことはわからない。通りがかりの人が、倒れている人を見て救急車を呼んでくれたようだ。

夫は救急車の中で息子の家の電話番号を言ったらしい。整形外科の当番医は富山赤十字病院とのこと。息子は突然のことで、着の身着のまま、財布も持たずに同乗した。息子が行っていることで私は少し安心をし、九時頃におにぎり一つとお茶を持参し、タクシーで病院へ向かった。

集中治療室前の廊下の椅子に、午後二時頃まで待たされた。何人かの人が同じように待機している。息子は朝食を食べていない。持参したおにぎりが役に立った。私は耳が遠いので息子がそばにいることが心強かった。

呼ばれて夫のベッドのそばに行く。額、手の指、ヒザから血が出ている。ということは、前向きに倒れたのだろうか。しかし、背中と腰が痛くて起き上がれないという。ＣＴで診る限りは骨折していないそうである。私はほっとした。打撲だろうか。

結局二、三日入院することになった。今日一日疲れた。翌日の新聞によると、「昨日は放射冷却現象の影響で、今冬一番の冷え込みになった。氷点下五度。スリップ事故が相次ぎ、歩行者の転倒による救急搬送も多数あった」

と、報道された。

　夫はろくに物も食べなかった。とにかく、「痛い、痛い」の連発である。

　三日目、リンゴとヨーグルトを少し食べてくれた。痛いだけなのに、表情まで生気がない。

「何も食べられないから、普段食べているようなものを、家から持って来てください」

と病院から電話が入った。大根、里芋、こんにゃく、竹輪、結び昆布の煮物、ゆで卵をタッパーに詰めて持参したが、一口しか食べてくれない。困ったと思う。

　家に帰ってから嫁が、

「私達まで元気をなくしたらおしまいや。元気を出しましょ」

と言った。そして、

「『今日はツルツルだから散歩に行かれんなと言ったのに行くからや』と、お父さんにあんまり言われんな。（言わないで）かわいそうや」

とも言った。それにしても救急車を呼んでくれた人に感謝である。どこのどなた様かもわからない。

建国記念の日、高岡市に住む娘と、息子夫婦、私とでにぎにぎしく病院へ。今日はポトフを持って行く。少し食べてくれた。娘がスマホで、

「お父さん写すよ。Vのポーズ、はいチーズ」カシャッ！　夫は笑顔。幸い個室だからよかった。今日は四人で行ったから、元気が出たかな？

毎日の病院通いを一週間、そろそろ私も疲れが出てきた。本人も飽き飽きした様子だが、今の状態で帰って来られても困る。あまりにも「痛い、痛い」と言うのでMRIで検査をされた。打撲ではなく、胸椎二本が圧迫骨折していることがわかった。すぐにコルセットを装着。

「あと一週間で退院していただくのですが、自宅に戻るかそれともリハビリできる病院に転院するか、予約の都合もありますので決めてほしいです。転院してもベットで寝ることが多いから、足は弱りますよ」

そう係の人が言った。家に来られても面倒見きれない。私も八十七歳だ。転院先は家の近くの富山市立富山まちなか病院に手続してもらうことになった。夫はそこの内科をかかりつけにしている。

「そこならばいい」

と夫は言い、個室を希望した。
転院は二十日に決まった。

（令和二年二月）

「コロナ、コロナ」

中国湖北省、武漢市を中心に新型コロナウイルスによる肺炎がまたたく間に蔓延した。日本列島はもちろん、ヨーロッパ、韓国など世界中に拡大している。恐怖の毎日である。各国は鎖国状態だ。景気の悪化が進み、世界経済は大打撃を受けている。

記念式典やイベント、大勢が集まる会合などすべて中止となった。学校も臨時休校、修学旅行が延期または中止、子どもたちにとっていい思い出となるはずだったのに気の毒である。旅行会社の観光バスが、自社の駐車場にずらりと並び、出番を待っている映像がテレビに映し出されていた。

私はよく名古屋行き高速バスを利用するが、新聞の予約状況を見ると空席、空席だ。通常は土曜日など満席なのに。ＪＲもしかり。どこかの旅行会社が、富山新港からクルーズ船で北海道への旅の広告を出していた。

「えっ、このようなときに行く人いるの？」

北海道は感染者が多い。

孫が北海道の大学に行っている。

「春休みにアメフトの大学試合が東京である。ついでに富山へ一日、二日寄ろうと思う」

と連絡があった。嫁はどうしたものかと頭をひねっている。富山県は感染者が確認されていない。(三月二十八日現在)

「北海道から帰県した二十代の男性がうんぬん」

ということになったら、私たち家族は世間からイヤな目で見られる。

「来るな」

とも言えず迷っていたら、試合が中止となった。

マスクも消毒液も不足。今冬流行しているインフルエンザの影も薄く、「コロナ、コロナ」だ。夫はマスクが大嫌い。病院へ行くのにマスクを渡しても、

「そんなものいらない」

とゼッタイにしない。

「ヘンなもの貰ってこないでね。私たちが迷惑するのだから」

二月の初めごろ、東京の息子に、

「マスクは十分持っているか。なるべく人ごみの中に出ないように」

とメール。そしたらのんきな返信があった。

「自分の住んでいるところは、東京といってもスミッコの田舎です。大丈夫です」

ところが三月の終わりとなった今、都知事が不要不急の外出は自粛するよう要請した。

悠長なことは言っておられなくなった。

甥からも
「庭の梅が咲いた」

と、写真がメールで届いた。

「新型肺炎気をつけましょう。マスクが不足ぎみです」

と書かれていた。

ところが三月半ばの甥のメールでは、

「長女の会社は全従業員を半分に分け、一週間交代で在宅勤務扱いに。もっとも仕事は翻訳なので、在宅でもいいんですが」

そして、

「九十三歳の母の施設は、家族といえども面会謝絶になりました。洗濯物交換だけの往復です」

とつけ加えてあった。

趣味のいけばな界の行事も、三月分は九月に、四月分は十二月に延期された。秋にはしわ寄せで忙しくなりそうだ。待てよ、秋は大丈夫なのだろうか。コロナ感染問題は、いつ終息するのかもわからない。

オリンピックも一年延びた。今まで中止はあっても、延期はオリンピック史上初めてだそうだ。

「あらぁー、夏にオリンピックマラソンを見に行く予定にしていたのに。ホテルを予約しないで、息子のアパートに泊まるつもりだった」

嫁はがっかりした様子である。富山空港から新千歳への直行便も当分ゼロとなった。

ＩＯＣ会長が、

「世界は今、暗いトンネルの中にいる」

と言った。どなたかおえらい方、ワクチンを早く開発してください。どこへも行かないので、机の上の仕事がはかどった。

梅の花のお皿で苺大福、桜もちを夫婦差し向かいでいただくのも悪くはない。外孫が休日に夫婦で、自家製のギョーザをたくさん作ったと言っていた。今日は息子たちの銀婚式だそうだ。記念の旅行にと思うけれど、コロナコロナでどこへも行けない。オリンピックのように一年延期したら？

今日はいい天気。抜けるような青空だ。街は眠ったように静かである。富山市の松川べりの桜も開花宣言があった。公園内での花見宴会は禁止でも、コロナのことは忘れてそぞろ歩きはいいだろう。桜に罪はないのにね。そろそろ人が恋しくなってきた。早くトンネルの出口に出たい。

（令和二年三月）

どっしり構えよう、コロナ

朝起きてマンション六階の窓を開け、深呼吸をした。ふっとコロナウイルスがそこら辺の空中にフワフワ浮遊していないかと心配する。

富山県も感染者ゼロで大分頑張っていたが、一人が発症したことによって、またたく間に広がった。国は不要不急の外出自粛を求めた。ところが若い人はケロッとして自粛を重く受け止めていないようである。年よりは重症化し、亡くなる人もいるのだからウイルスを甘く見てはいけない。

大型連休を前に、富山県の春の風物詩、チューリップフェアもちんどん祭りも中止となった。残念なことだ。毎日、感染しないだろうかと危機感が募り、重苦しい日々を過ごす。家族の安全も心配だ。だが気のせいか、夫はケロッとしてのんびり構えているようにも見える。

自営の会社に出入りする人、例えば銀行マンとか保険のセールス、また家庭では十六年も使ったテレビの入れ替えに来た電気屋に対しても、念のためマスクをする。人を見れば疑念の目で見る。神経がピリピリだ。こんな気持ちは「あー、イヤだ」。

三月はいけばな教室を休講にした。四月はどうする？

「四月はやりまーす」

と、号令をかけた。教室といっても僅かの人数だから、人と人との距離はある。ドアを開けっ放しでやればよい。

「お稽古で元気になりたいです」

「お義母さんが反対するけど来まーす」

ところが日が経つにつれ、感染者が徐々に増えていった。「やる」と言ったけれど、心がぐらつく。息子夫婦が反対した。

桜は満開だ。そういえば教室の皆さんと富山市松川の遊覧船に乗ってお花見をしたことがあったっけ。地元新聞が、

「紙上でお花見をしてください」

と、県内の桜の名所の写真を大きく載せている。松川べり満開の桜並木が両岸を埋め尽くし、路面電車「ポートラム」が橋の上を走っている。そして赤い屋根の遊覧船。

「わあーきれい、お花見だあ」

また、県の水墨美術館の一本のシダレザクラ、その背景には神通川沿いのソメイヨシノ、来館者がマスクをしてスマホを向けている写真も載っている。

いけばなは心で生けるもの。心が乱れていたり、悩みを抱えていたら、いい花は生けられない。教室は四月も休むことにした。がっかりする人、ほっとする人それぞれだった。せめて事務所に花を飾ろう。花は誰が見ても心が和む。

外出自粛でどこへも出掛けるところがない。春らしいブラウスの一枚も買いたいと思うけれど、閉じこもりではおしゃれ心も底に沈んでいく。

街を歩いている人はまばら。テレビのスイッチを入れれば新型コロナのニュースばかりだ。その報道も大切なんだけれどうんざりする。年よりの自分でさえ、家での閉じこもりは限界だと感じているのだから、若い人たちはなおさら外出自粛にガマンならないだろう。

そういえばこの頃メールをすることが多くなった。

“コロナごもり　となりは何をする人ぞ”

「何してますか」

休日にあっちこっちメールをした。

「きゅん、きゅん、お花見しながら一人でお散歩ジョギング。自然の中を走るのは遠慮なくできるので嬉しい！」

「娘から家を出たら志村けんのようになるよと、毎日のように警告あり」

「コロナよりも、引越したマンションの揺れに悩まされています。横を路線バスが頻繁に通るので」

それぞれだ。外孫が、七ヵ月のひ孫の動画を時々送信してくれる。夫と思わず口元をほころばせる。

会社の方はテレワークが多くなり、メーカーの人は誰も来社しない。イヤ、県外からウイルスを運んできてもらっても困る。息子もここ一、二週間県外の出張を控えている。また、新聞のおくやみ欄を見ると、ほとんどが「葬儀は終了しました」となっている。迷惑を考えて家族葬にしているのだろう。

東京代官山に住む知人からメールが届いた。

「笑顔で深呼吸をしましょう。コロナ、コロナで心が沈みがち。気持ちを明るく持って♪元気を出しましょうね☺」

感染者が増える一方だけれど、あたふたしないことだ。笑顔で過ごそう。恐れてばかりいると、精神的に体がもたない。
今日、庭の片隅にアリッサムの種を蒔いた。いつの間にか遅咲きのヒヤシンスが一本、思い出したようにひっそり咲いているのを見つけた。

（令和二年四月）

コロナで断捨離

新型コロナ肺炎が日に日に全国に広まり、富山市も毎日新たな感染者が確認されている。世の中は何もかも延期、中止、外出自粛で巣ごもるしかない。

それに加えて病院通いの方も電話で診察だ。

「お元気ですか」

「はい、変わりなく元気に過ごしておりますが」

「それはよかったですね。ではいつもの薬を薬局の方へ処方箋を送っておきます」

「はい、ありがとうございます」

こんな調子である。

高校生の孫息子が、臨時休校を利用して家中の整理をやっている。つまり断捨離というヤツだ。出るわ出るわ、読まなくなった文庫本、幼い頃の絵本や怪獣の人形、今はやらない釣道具、それに野球の古いボールがかごにいっぱい。鉄筋の建物の幅広い階段に処分するものが積み上げられ、やっと通れるくらいだ。くたびれた浮輪も出てきた。孫は小学生のとき水泳教室に通い、きれいなフォームで自由形、平泳ぎ、バタフライをこなした。こんなもの捨てちゃえと、浮輪も処分の山に。

おまけに自営業の五十代の息子は息子で県外出張ができなく、業界の雑誌や事務所机の上に積み上げた古いノート、書類などを大きなごみ袋を脇に抱えて捨てる作業をしている。

物置からは昔夫が社長をしていた頃、松下電工株式会社（現パナソニック）からキャンペーン期間中に代理店として商品売上成績に対する感謝状が昭和の日付で、大きな段ボール二箱分出てきた。その頃は景気もよく、何もしなくても売り上げが上がった。息子は今、苦労をしながら一生懸命頑張っている。

いろいろなものが出てくるが、年代の差か

「こんなもの邪魔になるだけだ。処分する」

息子がそういうのに対し、九十代の夫は、

「記念に取っておけば……」

と言う。昔東京にいる長男の持ち物である怪獣の人形を、私独断で会社従業員の子どもに分けてやったことがある。

「あの怪獣は保管しておいてほしかった。大切だったのだ。何故僕に聞かずに人にあげてしまったのか」

と、大人になってから何回も文句を言われた。私にしては「こんなもの」と思うものでも、彼にとっては値打ちがあり、思い出の品だったのだ。人それぞれに価値観が違う。次男の嫁は立場上、姑の私に一々聞いてから捨てている。

物置に、私が実家から持参した枕びょうぶが使わずにしまってあった。びょうぶの絵は古めかしく、四季の植物を淡々と描いてある。鉄筋の家に住めば、びょうぶなどはいらない。「どこか古道具屋に持って行ってほしい」

と嫁に頼んだ。

大きな計算機が出てきた。現代は掌に載るほどの電卓を各自が机の上に置いている。出てきたのは二十五センチ四方ぐらいの大きなもので、電源はコードを差し込んで使用する。スイッチオンにしてやってみたら、ちゃんと計算してくれた。博物館行きの代物だ。昭和四十年代頃のものか……。メーカーは東芝。捨てるにはもったいない。

どっちの息子がやっていたのか、古い柔道着も出てきた。これは捨てた。布のおむつもいっぱい。小鹿や子犬の模様がかわいい。染みのないきれいなものだけ残してある。紙おむつがそろそろ出始めていたかも知れないが、

「こういうもの当てるのはかわいそう」

と抵抗があったのだろう。孫の時代はすっかり紙おむつとなった。嫁が、

「使い捨ての雑巾にする。でもきれいだね」とおむつをなでた。

おかしなものでこの断捨離も天候に左右され、晴れて暖かい日は「よーし、やるぞ」となるが雨が降って暗い日は「止めておく」となる。

コロナはイヤだけれどいいこともある。朝夕の食事は私たち夫婦だけで食べるが、昼食は会社の息子の家で食べる。会話も弾み満ち足りた気分になるのはどうしてだろう、と思った。昼食だからごちそうが並ぶわけでもない。そうだ、孫が臨時休校で家にいる。息子も県外出張を差し控えている。家族五人で賑やかに食事を囲むとき、家族っていいなあと思う。

新型コロナウイルスで、私たちには大きなストレスが加わっているはずだ。だが我が家にコロナうつはいない。嫁も明るい性格だ。

コロナ肺炎がなければ、オリンピックの聖火が日本各地をリレーされ、サッカーや高校

野球の熱い戦いもスタートしたはずだった。甲子園を目指す選手たちは残念な思いであろう。お互いに笑う日がくるまで頑張ろう。

巣ごもり中断捨離をやり、我が家の歴史みたいものを懐かしく思い出させてくれた。

（令和二年五月）

コロナもろもろ

五月も半ばを過ぎ、初夏の陽気となった。庭のつつじが白を、次にピンクの花を咲かせている。朱らんもあまどころも庭を彩りよくしてくれ、昨年不作だったみかんの木は、白い花のつぼみをいっぱいつけている。コロナでふさぎ込んでいた心が、何かパッと活気がみなぎってきた感である。巣ごもりでもおしゃれをしようかなと言うワクワクした気分だ。

ここずっと誰に会うこともなく、来訪する人は郵便配達、宅配便の人ぐらいだ。ブローチやネックレスは指定席に眠ったままだ。これではいかん、そろそろ眠りから覚めてもらわないとと思う。

日本国民は本当に忠実だ。大型連休中の高速道路の混雑はなく、新聞によると観光地にも人影はなかった。外出自粛が徹底されたようである。

テレビでは運動不足解消法として「巣ごもり体操」を番組の合間合間にやり、そして料理の方もフライパン一つでできるレシピなど、盛んに放映している。

新聞紙上でも「おうち時間の過ごし方」を紹介。趣味の手作り品、マスクの作り方、頭の体操、美術品の紹介など様々だ。フェルトで、となりのトトロのキャラクターを作ったとか、牛乳パックで小さな椅子を作ったとかの写真が掲載されている。皆さん器用でいいなあと思う。

また、県外では明るい話題として、パン屋さんがウイルス感染対策を意識してもらおうと、長さ一メートル以上もある距離感のフランスパンの販売を始めたとある。皆さん知恵を出して積極的に生きている。私は断捨離することしか能がないのか……。

嫁が五月五日目がけて、床の間にかぶとの置物と「夢」の掛け軸を飾った。「夢」は中国寒山寺の元住職が書いたとても力強い字だ。子どもたちが大きくなっても、二人の男の子の幸せを祈り、そしてたくさんの夢を抱いてくれるようにとの母親の願いであろう。夢は湧いてくるもの、年齢には関係ない。

東京の息子に、

「今年はコロナの特別の年だから、父の日、母の日のプ

レゼントはいらないよ。巣ごもっていてください」と、メールをした。そしたら母の日に男性がひざまずいて、ばらの花束を差し出しているスタンプがメールされてきた。

今晩グリンピースご飯を作った。塩味が効いておいしいものになった。このご飯を北海道にいる大学生の孫息子にメールで送れるものならば、どんなに幸せだろうと思った。孫は料理に関しては不器用だ。巣ごもりでどんなものを食べているのだろうと、県外移動もかなわぬ遠い地の孫を思った。

「日頃したくてもできない片付けがはかどってうれしい。うなぎの寝床の空き地の草むしりもやれた。いい汗をかいた。してもしても、することあるね」

これは嫁の弁だ。

考えてみれば巣ごもりのおかげで、家族と過ごす時間が与えられた。老齢で体の動きがにぶくなった自分にとっては、慌ただしく日と時間に追われて外出することもなく、家でゆっくりとくつろぐこともいいかな、と思ったりした。おしゃれも楽しんでネ！

五月二十五日、安倍首相が緊急事態宣言を全面解除した。えっ、この段階で大丈夫？再び感染拡大にならないのかと、心の隅では不安もある。しかし、政府にしてみればコロナ対策と同時に経済活動の両立ということもある。要するに気を緩めず、今まで通りの感染対策を徹底していきながらであろう。その中でチョッピリ自由を楽しめればいいかな、と考えたりもした。

それにしても台風の時季と重なっていなくてよかった。コロナで大騒ぎしているときに、暴風、水害が加わったり、地震、津波ということになると、ガマン強い日本国民も全滅だ。避難所ではコロナのクラスター……。ああ、考えただけでも恐ろしい。本当に自然災害と重ならなくてよかった。

早く疫病が鎮静し、特効薬も出回りますように祈るばかりだ。

（令和二年五月）

㈨　ところが七月に入って熊本県南部他が、豪雨となった。

腰椎圧迫骨折

そんなに重いものを持ったわけでもないのに、次の日腰が痛くなった。一日様子を見た。日を重ねる毎にだんだん痛くなってくる。

コルセットをし、湿布剤を貼り、痛み止めの薬を飲んだ。前にも痛めたことがあるのでコルセットは持っていた。この三点セットは何故か常に揃っている。

「アーア、またやってしまった」

ただの腰痛ではないことは自分でも分かる。腰の痛みは経験した人でないと理解できない。上半身の体重が腰に重くのしかかり、ガクンと骨が真っ二つに折れるのではないかと思うくらいだ。

自分の住んでいるマンションと自営の会社は目と鼻の先にある。だが自分は行くことはできないので、息子と嫁が交替で送り迎えしてくれる。ありがたいと思う。会社に来ると周囲に人がいるので、気持ちが紛れる。それに机の上の仕事をしていれば痛くはない。足元に鉛筆や書類を落としたら、誰かが走ってきて拾ってくれる。

「ああ、なんてみんな優しいのだろう」

椅子から立ち上がるときは、机に手をかけ、足に力を入れて垂直に立つ。腰を曲げてはいけない。

一番困るのは寝るときだ。右を向いても、左を下にしてもあお向けになっても痛い。ベッドから起き上がるときも四苦八苦する。

「イタタ、イタタ、ハアー――」

と言いながら二十分ほど経過する。ようやく立ち上がり歩き出す。右手に杖、左手は本箱や壁を伝いながら、そろりそろりと歩く。

次の日、歩行器を借りることにした。パイプだけの軽い簡単なものや、前にかごがついたものなど持って来てくれた。夫は、

「パイプの単純なのにしたら?」

と言ったけれど、私はかごつきの方を選んだ。洗濯物を運べるからだ。干すときは腰掛けて干す。ベランダに出る元気はない。

すべて片方の手は何かにつかまり、体重を支えていなければならない。顔を洗うにして

も、洗面台に片手ひじで支え、蛇口をひねる。両手のひらで水を受け、手を動かすのではなく、顔を動かして洗う。もしくは猫のように片手でなでる。情けない。

台所仕事も同じことだ。倍の時間がかかる。おつゆをよそうのは危なっかしい。イライラ！

整形外科に行くのは一日延ばしだ。行けば堅い板のストレッチャーの上であお向けに寝かされ、横向きにころがされてのレントゲン撮影だ。痛いにきまっている。二十日間ほど延ばした。結果はやはり圧迫骨折だった。痛いのなんのって、

「ああ、来るんじゃなかった」

終わったあと腰がズキズキ痛む。幸い廊下は車椅子に乗せてくれた。嫁が医院の前まで車で迎えに来たが、車椅子から立ち上がろうとして、ペタンとまた座り込んでしまった。車に移動できない。嫁は、

「これは駄目だ」

と言い、車椅子を借りて家まで押してくれた。

別居しているので嫁が夕食の足しにと、刺身と新鮮なトマトを切って、ふたつきの小鉢に入れて持ってきてくれた。その心が嬉しく、トマトが宝物のように思え、とてもごちそ

うにみえた。

日が経つにつれ、痛みに対して工夫が生じてくる。ベッドから起き上がるのが大変なので、頭上のさくに大きな枕を二つたてに立て掛けクッションとする。頭の部分にはバスタオルをたたんで枕、そこに寄りかかって寝る。ちょうどグリーン車の座席みたいな気分だ。

コルセットの内側についているボーン（骨）が肌に障る。痛いので、タオルをたたんではさむことも覚えた。

次第になりふりかまわずになった。コルセットをしているので、スカートは総ゴムのものしかはけない。上半身も空気がたっぷりふくらんだゆるいものしか着られず、同じ服を何日も着る。自分としては面白くない。

家では賑やかにお喋りする気にはならない。痛いので無口になる。夫も耳が遠い。ああ、これではいけないのだ。とりとめのない会話をすることも、日常生活には大切かと思った。

痛み止めの薬は体に悪いので三、四日でやめた。飲んでも飲まなくても痛いことがわかったからだ。湿布剤も骨そのものを治癒することはない。わらにもすがる思いで貼っていた湿布剤、これも思いきってやめた。

夕食に大きな鯛の切り身を甘辛く煮た。おいしかった。

「鯛の背骨はガッチリと太いなァ。これじゃ圧迫骨折にはゼッタイならないわ」

と、独り言。

足がむくんできた。何とかせねばならない。グリーン車の寝方が悪いのか。目下、腰痛と格闘中だ。早く元の体になりたい。

息子、嫁、周りの人が神経こまやかに、何くれと協力的なので心から喜んでいる。長期戦だがいつかは治るだろう。辛抱だ。

（令和二年六月）

介護福祉サービス

我が家は、夫九十一歳、妻の私八十七歳の二人暮らしである。

昨年まで介護保険は、保険料を支払うばかりで何も利用することはなかった。

「チョット、バカバカしいな」

と思っていた。また反面、世の中には自分よりも若いのに介護サービスを受けている人がたくさんいることを考え、

「健康で何よりだ。よろこぶべきことではないのか」

と思ったりもしていた。

ところが夫が今年二月、放射冷却の道路がつるんつるんに凍った日に転倒し、救急車で運ばれ入院する羽目になった。胸椎、腰椎二本の圧迫骨折だ。

「痛い、痛い」

をくり返し、老齢のこととて一ヵ月あまり病院のベッドに寝てばかりいた。

一週間寝るだけでもヒザ、足首がスムーズに動かなくなるものだ。ましてや一ヵ月は足の関節が硬直し、歩くことに関しては一からの出直しとなる。退院十日前に訪ねたとき、

「えっ、まだ歩行器で歩いているの？　早く自分の足だけで歩けるようになられんか（なりなさいよ）」

と言ったのを覚えている。夫はにこっとした顔で、

「大丈夫やちゃ」

と言った。

嫁が帰宅後のことを考えて、地域包括支援センターに相談してくれた。認定の結果、「要介護1」となる。

退院の二日ほど前に、介護支援専門員（ケアマネジャー）が福祉用具貸与業者や、住宅改修の業者を連れて我が家に来た。その結果、電動式のベッドを借り、風呂場とトイレに手すりをつけてもらう話が決まった。

世の中、介護支援に関しては誠にうまく連係が取れているものと感心する。費用は介護保険を利用するので実費よりもはるかに安くついた。有り難い。

五月、今度私が腰椎圧迫骨折をした。そんなに無理をしたわけでもないのに、骨がもろ

くなっているのだろうか。歩行器を借りた。トイレと浴室の手すりが都合よく私も利用することになった。

何せ二人だけの生活だから、買物は嫁がしてくれても食事は私が作らねばならない。腰に負担がかかり、いつもの倍の時間がかかる。

嫁が、他にどんなサービスがあるのかをケアマネジャーに尋ねてくれた。お弁当利用というサービスがあることを知った。高齢者が在宅で自立した生活を送れるように「食」のサービスということだ。対象はひとり暮らしとか、高齢者のみの世帯だ。

単にお弁当を配達するばかりでなく、おまけがつく。栄養のバランスが取れた食事であることは言うまでもないが、配達の際には安否を確認し、異常があった場合は緊急連絡先へ通報するということだ。これにも驚いた。夫は既製ものはあまり好まないので週一回夕食のみの配達を申し込んだ。ケアマネジャーが富山市に「食」の自立支援利用を申請してくれた。その結果、僅かだが弁当代がいくらか安くなった。

介護保険を利用する身になっても、三度の食事はおいしくいただけるので本当に有り難い。

「ごちそうさまでした。おいしくいただきました」

八月になる頃にはだんだんヘアースタイルが怪しくなってきた。五月初めに美容院へ行ったきりだ。髪の毛はむじなのように伸び放題、やまんばと言った方がいいか。パーマっ気もなく、つむじの部分が真っ白になり、これでは世間に出られない。

ケアマネジャーがまた教えてくれた、訪問福祉理美容サービスなるものを。寝たきりとか、外出困難な人のために、キレイにして差し上げる専門店である。シャンプー、パーマ、毛染めなど何でもござれである。世の中、いろんな職業があるものと、ここでまた感服することしきり。早速予約を申し込んだことは言うまでもない。

イヤハヤ、今年になって介護サービスをたんと利用することになった。

保険料を支払うばかりの方がよかったけれど……。

自分たちは老人の福祉施設には入りたくない。自分の家が一番落ち着く。周囲の人間関係に煩わされることもない。家では「食」のこと、十分な睡眠、そして体と脳の運動を心掛けよう。若い頃のようにテキパキ動けなくても二人支え合って、介護サービスを利用しながらも、何とか健康で毎日を過ごしたいと思う。

（令和二年八月）

コロナ禍のおしゃれ

新型コロナウイルスの感染でおうち時間が続く。つまり誰にも邪魔されない私的な時間だ。大勢集まる場への外出の機会がほとんどなく、生活様式の変化でおしゃれ心が遠のいた。

家でちょっといい服を着たって誰も見てくれない。おしゃれ着はもう新調する必要もないだろう。今持っている服を着回せばいい。それで十分だと思うようになった。

だが普段着は欲しい。私はこの夏、持っている何枚かを洗濯しながら着た。殊に休日はTシャツにガウチョパンツで過ごす。着心地よく、こんなラクチンな服はない。手ごろな値段の普段着は、汚れたりしても気軽に買い替えられるから安心だ。日常を重視するので、しわになりにくく、デザインもシンプルなのがいい。

夫には悪いけれど、おしゃれをして彼に見せようとも思わない年になった。いけないことだと思うけれど……。若い頃は服ばかりでなく、高級な通販の本を見て、

「ああ、こんなバッグがほしいなあ、このアクセサリーはどうかしら」

などと、おしゃれ心がむくむく湧いた。今はどうだ、ページを止めることなく無関心にサラサラとめくる。とじこもりのせいばかりではなく、老年となったこともあるのだろう。

ところがある日、五十代の女性が用事があって我が家に訪れた。

「こんにちは」

「いらっしゃい。あらすてき！　マスクもお洋服の色に合わせて……」

炎天下、道路を歩く人がおしゃれをしていない中、この来訪者に思わず、

「あらすてき！」

と声を大きくしてしまった。もちろん本人は身長があり、すらりとしたスタイルではあるけれど。ファッションが暑さを忘れさせる。

白地に水色のリズミカルな線模様のチュニック、ウエストのひもを後で結び、白のパンツ。うすい水色の立体的なマスク、胸元にさりげなくさげたチェーン。決してぜいたくな装いではない。センスがいいというか、おしゃれから遠ざかっていた自分には、違う世界の人に思えた。こうでなくてはいけないのだ。はっと目が覚めた。

この女性は家にいてもおしゃれなのだろうと思った。おしゃれは誰かに見せるものらし

いが、そうすることによって自身の気持ちが引き締まるということもある。普段着でもおしゃれはできるということを発見した。何もシルクでドレッシーな服装ばかりがおしゃれではない。つまりセンスの問題だ。反省！

おしゃれのついでに次は化粧の話。

日常マスクをつけるようになって、化粧をろくにしない人が増えたということだ。口紅をつけたってマスクがピンクに染まるだけだ。ほお紅は半分がマスクの中。目の化粧は必要と思うが、私は目の化粧は元来やらないたちだ。目を傷めるような気がするからである。ある人は、

「ファンデイションもつけないよ」

と言っていた。「あら、ファンデイションぐらいはつけた方がいいのでは……」と思った。私は肌の手入れだけは十分にやっているつもりだ。

化粧については、これも迷うところだ。結論はマスクにかくれても、きちんと化粧をすべきということになるかも。気持の問題だからだ。

今日、街でワンピースにパンプスを履いて姿勢よく歩いている人を見かけた。やっぱりいいなあと思う。うーん！

（令和二年九月）

米寿は一つの通過点

九月二十四日、富山県知事名で「米寿お祝い」の賞状が届いた。県内には米寿の人がたんといるだろうに。百歳以上の人でさえ、九月現在で八百九十二人いるという。「かずかずの思い出とともにここにめでたく……」とある。日付は敬老の日の九月二十一日付。私は来年の二月で満八十八歳だ。しかし、こういう祝い事は数え年でやるものらしい。

米寿と言われてもなんの感動もない。

「あっ、そっか」

ぐらいだ。送ってくれた人には悪いけれど。

朝ドラで昭和を代表する作曲家、古関裕而の物語、「エール」をやっている。今ちょうど太平洋戦争のころだ。テレビから流れる歌は皆知っているので一緒に歌うが、早く戦争の場面が終わってくれないかと思いながら見ている。イヤーな過去だ。

そう、「かずかずの思い出」の一部だ。若いころの記憶は鮮明だ。

自分は富山県でも片田舎に住んでいたので、空襲には遭っていない。十二歳の昭和二十年八月一日夜中、空襲警報のサイレンで起こされた。東の空が真っ赤に燃えあがっているのを

「あれはどこだ」

と、両親や弟、近所の人たちと立ちすくんで恐怖の目で見ていた。それが富山大空襲だとは知らなかった。

あの炎の下で市民が逃げ惑い、あまりの熱さに川に飛び込み、火の粉から逃れ、雨あれの如く焼い弾の投下に地獄絵が繰り広げられているとは、そのときは知る由もなかった。富山市は焦土と化し、空襲のすさまじさをあとで知った。

戦後、鎮魂の意味を込めて毎年八月一日、神通川原で花火大会がある。もっとも今年はコロナの関係で密集を避けて中止となったが。

戦争中の国民学校（現小学校）六年のときの給食は、重湯にご飯粒が浮いているようなのが主食、みそ汁の身はイナゴだった。

お金があっても物がない時代、お金は何の役にも立たなかった。明治生まれの母は一生

和服で通した人だが、食べるものもないので自分の着物を手放し、農家の人からお米を分けてもらっていた。

「これ大事な、いい着物だからもう少しお米を多くもらえないだろうか」

終戦の年、私は女学校に在籍していたが、戦後の六・三・三制学生改革で、昭和二十三年、男女共学の高校となった。(公布は二十二年)女子生徒ばかりよりも、共学の方がよほど楽しかった。初めて男子生徒と一緒になったときは、

「笑い声が低い」

と言っては笑った。他愛ないことである。

人数が少ない高校だったので、思いっ切り好きなことをやった。演劇部、水泳部に籍を置き、体操の時間は女子だけでやり、東京の音楽舞踊学校だか、音楽体操学校だかの出身の素敵な先生だった。踊るのが好きで体操の時間はいつも張り切ってやった。

私の母はすごく封建的で、

「男子と口を利くな」

というくらい。しかし、学校に来てしまえばこちらのもの。大いに楽しんだ。

また水泳は、富山県民体育大会出場を前に、他校水泳部男子と自分の高校女子水泳部が

他高の町営プールを半日借り切り、夏休み返上で練習をした。そのときも母には男子水泳部が一緒だということは何も言わなかった。幸い本番では大会新記録を出し、自分ながらびっくりした。

今は当たり前のことでもこの時代、田舎の町では男子生徒と女子生徒が一対一で喋っていても、大人が振り返るようなキュウクツさがあった。

二十三歳で結婚をしたとき、夫は合成樹脂材料卸の小さな会社を興したばかりだった。事務員は私一人、夫の指導のもと仕事一点張りの生活が続いた。

その内三人の子どもに恵まれ、子育てと仕事を両立させ、十年ぶりに復活させたいけばなへの道にも進んだ。小学校ＰＴＡでは校内新聞の発行にも携わったり、町内や地域の婦人会の世話をしたり、仕事との両立に苦労しながらも充実した毎日を送った。ＰＴＡ仲間とよく飲みに行ったっけ。いけばなは名古屋市在住の偉い先生のもとに月一回通いもした。

七十代からはエッセイ集を四部自費出版した。それを「面白かった」と読んでくれる人がいるからうれしい。

そんなこんなで現在に至る。いけばな関係はすべて参与の肩書きだ。会社の総務、経理の仕事も九分九厘、嫁に引き継いだ。夫の理解のもと、好きなことをやってきた。悔いのない人生と言えるだろう。

「まだまだ続く道」と思っているから、米寿と言われてもピンとこない。もう一度「米寿お祝い」の賞状を見る。やっぱり感動しない。でも有り難く頂戴することにしよう。「ありがとう！」

（令和二年十月）

優しい人たちに囲まれて

「先生、今日三時にお迎えに上がると言ってましたが、大和（デパート）で北海道展をやっているのですごい人です。駐車場に入るのに長い列。大和の駐車場が満車のときは離れた所を利用することも考えられます。先生、悪いですがタクシーで来てくださいませんか。そして、大和駐車場入り口にある、富山タクシーの営業所の屋根の下まで入ってください。道路で降りられると、このひどい雨ですから。営業所でお待ちしています。駐車場のエレベーターで上までご案内します」

「えっ、そんなに大変なの？」

私は用心のために昼食をすませてすぐ、三時にタクシーの予約をしておいた。

三時ちょっと前にタクシーが来たので、歩行器を折りたたんでトランクに積んでもらった。大和まですぐ近くなのに車が渋滞して進まぬ。

「どうしてこんなに混んでいるのですか」

と、運転手に聞いた。

「北海道展ですよ」

「ヘエー、食べ物の催しになるとどうしてこんなに人が押し掛けるんですかねぇ。私以前に北海道を旅行して、お土産を買ってきたのですが、次の日から北海道展があって、せっかく買ってきたお土産の値打ちが下がった経験あるんですよ……」

　運転手は笑った。

　私は大和のカルチャー教室でいけばなを教えている。出迎えてくれたのは弟子二人。私はここ数ヵ月前から腰を痛めて歩行器で移動している。こんなに私を大切にしてくれて涙が出るくらいうれしい。

　教室内では、

「先生、こちらの椅子の方が安定しています」

　と、別の椅子をすすめてくれた。

　コロナの関係で入室をするときは手の消毒を、ドアは開け放しておくこと、間隔をあけて並べてある机は移動させないこと、けいこ終了時は備え付けの消毒薬で机と椅子を拭いて帰ることなど、大和側からの条件だ。当然、むやみにおしゃべりをしないことも条件の一つであろう。ところが私は耳が遠い。耳の遠い者はどうしても大きな声でしゃべる。これはどうしようもない。

帰りは運よく大和の駐車場に止められた弟子が送ってくれた。出庫するときも一寸ずりである。八階から一階出口まで、何十分もかかった。

帰って、マンション出入口のドアを歩行器を押しながら開けようとモタモタしていたら、ちょうど学校から帰って来た制服姿の中学生男の子が、すばやく近づいて来てドアを押してくれた。その子は三階で降りた。

「ありがとう」

うれしかった。

私は八十七歳、体力的にも限界を感じてきた。教室を弟子にゆずることも考えてはいる。

一方、家庭でも息子と嫁、孫も含めてこれまた私を大事にしてくれる。私たち老夫婦はマンションに住んでいる。すぐ近くの自営の会社に出勤するので、日中は息子夫婦と一緒だ。埼玉に住む長男に何か送ろうかと、カラの段ボール箱を持ってフラフラ歩いていると、ひょいと息子が持ってくれる。立て掛けてあるつえが倒れたら、さっと走って来て拾ってくれる。次男は実に細やかだ。頭が下がる。

日曜日の夕方、嫁がマンションにやってくる。月曜日はごみの収集日なので、それを捨てるついでにあっちこっちの部屋を掃除機をかけてくれる。

私は骨粗しょう症で身の丈が縮み、百五十センチあるかなしだ。腰も曲がってきた。押し入れの中の高い棚のシーツ類を入れている箱に手が届かない。いろいろ頼みごとをためておいてやってもらう。

嫁の母親が今年六月に亡くなった。私がちょうど骨折をしたばかりで、痛くて「ヒーヒー」言っているときだった。だから葬儀には行っていない。もう今年も十一月、年内には是非お墓参りをしたい。

命日の十一日、小雨が降ったり止んだりする日だったが、嫁に連れて行ってもらった。砂利道を歩行器でガタガタ歩いた。

「いい娘さんを産んでくださってありがとうございます」

と、手を合わせた。嫁が、

「はるさんが来てくださった、と喜んでいるヮ。お参りしていただいてありがとう」

と言って頭を下げた。

コロナ、コロナで不安な一年だったけれど、優しい人たちに囲まれて、とても幸せな一年でもあった。

（令和二年十一月）

最終日

今日は大和デパート、カルチャー教室の正月花の日だ。私は今年度をもって教室の講師を引退する。今日がその日である。

朝から緊張する。洗濯は夜にしよう。体を動かすちょっとした体操も明日二回分しよう。午前十時までに教室に入らなくてはならない。歩行器使用の私を弟子が九時五十分に迎えにくる。お歳暮のお返しや、今までよくしてくれた弟子へのお別れの品をまだ袋詰めしていない。

デパートの駐車場は、開店と同時に二階から五階までもう満車。皆さんは地下の食品売場に用があるらしい。八階に駐車をし、手の消毒をして教室に入る。すでに花が届いていて、新年度から講師を引き受けてくれる弟子がいろいろ準備をしていた。

弟子といっても数人しかいないから、静かでなごやかだ。それぞれが集まってきて思い思いに生け出した。

「うーん、勉強会の花ではないのだから、お正月の気分が出ていればそれでいいんじゃない？」

と先生の私は大目にＯＫを出す。

皆さんが生け終わって片付けをしたころ、弟子の代表がこっそりかくしてあった赤いバラのバスケットを出して来た。弟子一同立ち上がり私の方に寄って来て、

「先生、長い間お世話になりありがとうございました」

と頭を下げた。

「あれぇ、もう先生とはお会いできないのですかァ」

誰かが言った。

「そんなことないよ。同じ富山市内に住んでいるのだし、コロナが終息して研究会や新年会とか、花の集いなどあればまた会えるよ」

まるで卒業式のお別れみたい。

カルチャー担当の女性課長にも挨拶をした。

「長年ありがとうございました。昭和五十九年からお世話になっていますので、かれこれ三十五年間です。その間（かん）、大和の新築移転もありましたし歴史を感じます」

久し振りに会った課長は、若いころから異動もなくずっとこの部署での長い経験を積んでいるから、彼女も大和での歴史をふっと思ったのではなかろうか。

私は体力的にも今が限界である。いい引き時だと思う。引き継いでくれる若い弟子は、少し不安を抱きながらも責任を感じていることであろう。うまくやってくれそうだ。若い先生には若い弟子が付くものだ。

一時ごろ、また弟子の車で自営の会社に戻った。バラのバスケットに添付されている、華やかな透かし彫りのグリーティングカードを開いたら、

「世界中で一番の先生、長い間ありがとうございました。社中一同」

とある。

「世界一とは大げさな」

と笑ってしまった。

遅い昼食を嫁が温めてくれた。食事をしながら思った。

「これで終わった。肩の荷が下りてアッカリした気分で平和だ」

会社は今日が仕事納めで、三時半から大掃除。障害者の私はお邪魔虫である。机の上に未処理の仕事がいっぱいある。掃除中でも私は机の前でねばろう。ああ、孫のお年玉も用

意せねばならない。金庫が閉まってしまう。公私ゴチャまぜだ。

掃除が終わったころ、嫁が
「ご苦労さま」

と、竹林堂のホッカホカの酒まんじゅうと、ボトルの温かいお茶を持って来た。私も食べる。すき腹にホッカホカのまんじゅうはペロリと胃袋に入って行った。年末の挨拶をして従業員は退社した。

嫁の車で、私たち夫婦が住むマンションに帰った。歩行器は持っていても、雨が降ったり荷物の多いときはどうしても息子か嫁の車の世話になる。

先に帰っている夫に、

「まんじゅうもらってきたよ。温かいヮ」

と差し出したら夫はにっこり。

「あら、子どもみたい」

遅くなったので夕食は弟子からもらったかぶら寿しと、棒だらのうま煮、他残りものですませた。

夕食を終えた八時ごろ、お別れの品や今まで世話になったことへのお礼のメールが、二人の弟子から入った。
今日二十八日は、感激、満足、アッカリの日だった。
「いいお年を！」

㊟「あっかり」は方言で、ほっとして気持ちがすごく軽くなること。

（令和二年十二月）

豪雪に閉じ込められて

一月七日、北陸地方で雪が降り出すというのに、朝から気持ちのいい青空だ。富山地方気象台の間違い？　と思っていたら午前十一時ごろから曇ってきた。

降らないうちにと私は歩行器で銀行のＡＴＭに行く。用事をすませ、帰路三分の二ぐらい来たところで雨が降り出した。速く歩けないけれど自分なりに歩を速めた。家の近くまで来て雨が大粒になった。息子が傘をさして迎えに来てくれた。

家に入ってすぐ、雨が雪に変わった。昼食のとき、窓の外ははげしい横なぐりの雪がしきりに降っていた。

「ああ、何と私はついているんだろう。危機一髪だった。今年はついているのだな」とうれしい気持ち。

七日の夜の間に雪はどっかり降った。強い冬型の低気圧が北日本を通過するためで、風も激しく、倒木や、トラックが横転した写真が翌日の新聞に出た。不要不急の外出は控えるようにとのことだ。ほとんどの学校が臨時休校となった。

近くの自営の会社まで車で送り迎えしてもらっている私は会社を休んだ。車自体が私たち老夫婦の住むマンションへ来るのがむずかしい。夫は、

「僕は歩いて行く」

「えー？　交差点は圧雪で路面がツルンツルンのはず。すべって転ぶ。骨折してもらったらまわりが迷惑するがやぜ」

メールで嫁に告げた。結局、臨時休校の高校生の孫息子が迎えに来て付き添うことになった。

私は大雪と同時に腰の左右の筋肉がキューとしめつけられるように痛くなった。あくびをしてもひびく。どうかすると筋肉に火が着いたように熱くなり、麻酔をしないで手術をしているように、身動きできないほど痛くなる。一日中悲鳴をあげるので、夫には申し訳ない。低気圧が影響しているのだろうか。

デパートは二時閉店となり、スーパー、コンビニの棚は入荷しないのでスッカラカンとなった。宅配便業者からは、荷物があるけれど配達できないと電話がかかり、その後数日間持って来なかった。

運悪く台所の天井の蛍光灯がピッカ、ピッカし出した。ガマンした。新聞によると、県内三千六百戸が十数時間停電したとのこと、お気の毒なことだ。オール電化の家庭はどうなるのだろう。この周辺が停電しなかったことは不幸中の幸いであった。

交通機関が大混乱し、新聞も配達が遅れたり配達できなかったりで、連日お詫びの広告が出た。

都合のいいことに九日は土曜日、十一日の成人の日まで三連休で冬ごもりである。高岡市に住む娘からは、

「三連休の間にそちらに行く予定にしていたけど延期します。雪で車も出せない」

と連絡があった。

雪はしんしんと誰の許可も得ず降り続いてい

る。恐怖というほかない。近くに住む嫁からメールで、

「生きていますかァ――」

「生きているよう――」

高岡の外孫からスマホで写真を送ってきた。いっぱいいっぱいの雪の中に、一歳半のひ孫女の子が赤いおもちゃのバケツを持って何かしようとして立っている。白いふわふわのフードつきの防寒着、綿の入ったズボンの上に赤いレッグウォーマーをはき、雪が主役でなく、ひ孫の愛らしさが主役という感じだ。雪に赤はよく似合う。

腰の筋肉が痛い私のために、嫁が夕食を作りに来てくれた。一日目はいわしの酢炒り、ほうれん草のおひたし、冷凍庫からえび入りの卵巻を出し温めた。二日目は刺身、酢の物、煮てきた南瓜を持参してくれた。ほっこりと上手に煮てあった。外は雪でも心は暖かな幸せ。嫁はスーパーまで車は出せなくても、中心部に住んでいるのでデパ地下まで歩いて行ける。幸いである。

三十五年ぶりの大雪で、富山市は百二十四センチ積もったとか。雪の量が年々減っていくのに、たまにどか雪になると雪に慣れている北陸とはいえ、対応が難しくなる。今後の反省として冷凍食品や、トイレットペーパーなどは年末に備蓄しておこうと考えた。

血圧の薬が切れた。かかりつけの医院は従業員が出てこないので、臨時休診だった。いけばなの弟子から、

「先生はどうしていらっしゃいますか。お元気ですか」

と見舞いの電話が入り、私のことを心配してくれている人がいて、うれしく思った。

年寄りは家に閉じこもっているのが一番。毎日天気予報ばかりのぞいていた。雪！　雪！　しばらくはコロナとご無沙汰だった。

（令和三年一月）

オンライン新年会

「毎年恒例の我が家での新年会二〇二一年は、残念ながらコロナ第三波のため中止になりました。そこでちょいと楽しいアイデアが浮上、オンライン飲み会を考えています。ぜひ参加してください」

昨年十一月下旬、嫁がいつも集まる家庭にラインメールを流した。

「いいアイデア、すてき！　参加しまーす」

「いいね、楽しみにしてる」

などの返事がすぐに返ってきた。

我々老夫婦は最初しばらくの出演（？）と聞いている。年明けて一月二日夕方五時四十分ごろ、近所に住む高校生の内孫次男が何か機材を持ってやってきた。

「テレビを使います」

と言って、コードをテレビにつないでいる。その辺のことはアナログ人間にはさっぱりわからぬ。時々、高岡市に住む外孫長男と連絡を取っている。二人はいろいろ相談しながら事を進めてきたらしい。

六時、オンライン新年会がスタートした。テレビ画面に娘家族が座敷でおせちを囲んでいるのが映し出され、続いて嫁いだ二人の外孫娘の家族、埼玉に住む私の息子、北海道の大学から帰省できない内孫長男らが映し出された。普段はメールをしていても、ここ一年間会っていないので、

「おや？　あのいい男誰？」

と、ふっと思った。バカだねえ、孫がわからないとは——。

進行スタート！

高岡の外孫が司会をする。先ずおじいちゃんの新年の挨拶だ。何を言ったか忘れたが私が横で、

「それで終わり？」

いとも短かな挨拶だった。夫は今年三月で九十二歳だ。次にそばにいた内孫が、

「おばあちゃん、米寿おめでとうございます」

と花束を手渡してくれた。

「ありがとう」

私たちはみんなに元気な顔を見せるのが目的らしい。ようし、みんなを笑わせてやろう。私は紙に牛の顔を描いてマスクにホッチキスで止めたものをした。牛が顔の三分の二を占めている。おどけて髪には赤いリボンを左右二カ所につけた。

「今年はうし年。モー。頑張るぞォ——」

と片手を上げた。みんなは笑わなかったが、あとで嫁が、

「なかなかの演出で楽しませてもらいました」

と言った。

北海道の孫の乾杯発声ののち、それぞれの家庭のごちそうをのぞく。私たちは食事はあとでするつもりだ。外孫娘の家はしゃぶしゃぶをやっている。私が、

「高級な肉だね。何百グラム？　たくさんあるけど」

「五百九十グラム」

「へえ——！」

やき豆腐が二つ、生椎茸も卵も二つ、ちょこんと並んでいる。他にこまごまと小鉢に何か入っている。ここの家庭は料理をすることが好きなようだ。

「おや？　この家はラーメンだ」

おせちばかりでは飽きがくるわね。ラーメンでも食べたい気分になるか。人様のごちそうをのぞく悪趣味な私。

一人住まいの埼玉の息子はビールをベランダで冷やしているそうだ。

「冷蔵庫小さいの？」

「一人だから普段は小さいので十分だ」

夫が、北海道の孫があまり画面に出てこないので不服のようだ。

「ねえ、おじいちゃんが北海道の孫の顔をもっと見たいって！」

次に私が昨年十一月、公益財団法人、日本いけばな芸術協会から頂いた、いけばな褒賞杯の賞状と、名誉総裁である常陸宮妃のご家紋が刻まれた銀杯をテレビ画面に映してもらった。みんなはそれぞれのぞき込むように見入っている。

そんなこんなで十分間の予定が一時間超過した。

「もういいね」

孫は電源を切って帰って行った。

そのあと若い人たちは延々と深夜十一時まで続いたらしい。ゲームが盛り上がったとか。

翌朝、二〇二一オンライン黒田会のラインにアルバムがメールされてきた。埼玉の息子からも
「ぼっち正月、唯一のイベントを楽しませていただきました。ありがとう」

とメール。

「来年は座敷でできるといいね」

と私。二人の孫の活躍で十六人が楽しんだ、またとないいい企画のオンライン飲み会だった。今年は来客なしで拍子抜けした正月だったけれど、楽しかった。


（令和三年一月）

おわりに

米寿を区切りに出版することが出来、嬉しく思う。

今回は昨年のコロナ騒ぎでネタに不自由はしなかった。オンライン新年会も楽しく、巣ごもりも悪くはないなと。

楽しい本にしたいので、「痛い、痛い」の文はなるべく書かないようにしたつもりだけれど……。自分は我慢強いのだろうか、身体は痛いのに心、口では頑張っている。

皆さんからは、「読みやすい本だ」と言ってくださり、いい気分になっている自分である。やりたいこと、好きなことにこれからも一生懸命向き合うので、読者の皆さんも健康でいてほしい。読んでくれる人あっての本なので。

イラストは県外に住む息子に依頼した。息子は、

「僕のイラストは可愛くないよ」と言った。

それでもいい。親子で一冊の本に携われるのはこの上もなく幸せなことではないか。

最後に桂書房の皆さまには、いろいろお世話になった。お礼を申し上げたい。

「ありがとう」

九十何歳かでまた出版することになったら、その節もよろしく。

令和三年五月

黒田　はる

黒田 はる（くろだ はる）

1933年　南砺市（旧井波町）に生まれる。現在富山市在住。

1956年より自営の会社に60年あまり勤務。

小原流いけばな歴は60年。2020年11月、公益財団法人日本いけばな芸術協会より、いけばな褒賞杯を受賞。

著書に、「夢はモクモクと湧く」「七十六歳まだまだしたいことがいっぱいあるちゃ」「生きることの幸せをどうぞ」（以上文芸社）、「八十四歳だらしがないぞ」（桂書房）がある。

米寿は通過点

2021年6月5日 初版発行

定価1,430円

著　者　黒田はる
発行者　勝山敏一

発行所　桂　書　房
〒930-0103
富山市北代3683-11
電話 076-434-4600
FAX 076-434-4617

印刷／株式会社すがの印刷

ISBN 978-4-86627-102-6

地方小出版流通センター扱い